大《たい》切《せつ》な人《ひと》に話《はな》したくなる

体《からだ》と命《いのち》のなぜなに

ぶつけたら痛《いた》いのはどうして?
ケガをしたらどうする?

湘《しょう》南《なん》E《イー》R《アール》

KADOKAWA

はじめに

毎《まい》日《にち》を元《げん》気《き》にすごせるヒミツ

学校《がっこう》から家《いえ》に帰《かえ》ったとき、**ていねいに洗《あら》わなかった手《て》には、なにがくっついているんだろう？**　キャンディーをのどにつまらせて苦《くる》しいとき、**のどのおくはどうなっているんだろう？**　ヘルメットをかぶらないで自転車《じてんしゃ》にのっているとき、**転《ころ》んで頭《あたま》をぶつけたら、頭《あたま》の中《なか》でなにが起《お》きるんだろう？**

そんなみんなのギモンに答《こた》えるために、**体《からだ》や命《いのち》の専門家《せんもんか》である救急医《きゅうきゅうい》**がこの本《ほん》で、みんなを体《からだ》の中《なか》の**「目《め》に見《み》えない世界《せかい》」**に案内《あんない》します。きっと、びっくりすることや新《あたら》しい発見《はっけん》がたくさんあることでしょう。

　自分《じぶん》の体《からだ》や命《いのち》にまつわる目《め》に見《み》えない世界《せかい》を知《し》ると、大人《おとな》が「あぶない」「気《き》をつけて」って注意《ちゅうい》する理由《りゆう》がわかったり、毎日《まいにち》を楽《たの》しく元気《げんき》にすごせることは、じつはきちょうだって気《き》づいたりするかもしれません。さぁ、**体《からだ》や命《いのち》のヒミツ**を知《し》って、明日《あした》もきみが元気《げんき》に生《い》きられる方法《ほうほう》をいっしょに考えよう。

　ところできみは、学校《がっこう》の勉強《べんきょう》や宿題《しゅくだい》って好《す》き？　新《あたら》しく習《なら》ったことをしっかりおぼえるいい方法《ほうほう》は**「人《ひと》に伝《つた》えること」**なんだよ。好《す》きなゲームの裏《うら》ワザ、お気《き》に入《い》りのダンスと同《おな》じように、この本《ほん》で**「ナルホド！」**と思《おも》ったことは、友《とも》だちや家族《かぞく》に伝《つた》えてみてください。きみは成長《せいちょう》できるし、みんなも新《あたら》しい発見《はっけん》にドキドキするはずだよ！

私《わたし》たちは病院《びょういん》の救急外来《きゅうきゅうがいらい》、ER《イーアール》で働《はたら》くお医者《いしゃ》さん

ER《イーアール》とよばれる、病気《びょうき》やケガで急《きゅう》に体調《たいちょう》をくずしたときにくる場所《ばしょ》が私《わたし》たちの仕事場《しごとば》。赤《あか》ちゃんからお年《とし》よりまでいろんな人《ひと》がきて、患者《かんじゃ》さんの中《なか》には風邪《かぜ》などの身近《みぢか》な病気《びょうき》の人《ひと》も、命《いのち》があぶない重症《じゅうしょう》の人《ひと》もいます。

命《いのち》がたえて死《し》んでしまうと、もう遊《あそ》ぶことも、大切《たいせつ》な人《ひと》に会《あ》うこともできません。そんな悲《かな》しくさびしいことにならないように、命《いのち》を救《すく》うのが私《わたし》たちの仕事《しごと》。みんなが安心《あんしん》して、安全《あんぜん》にすごせますように。

＊ER=エマージェンシールーム：救急外来《きゅうきゅうがいらい》

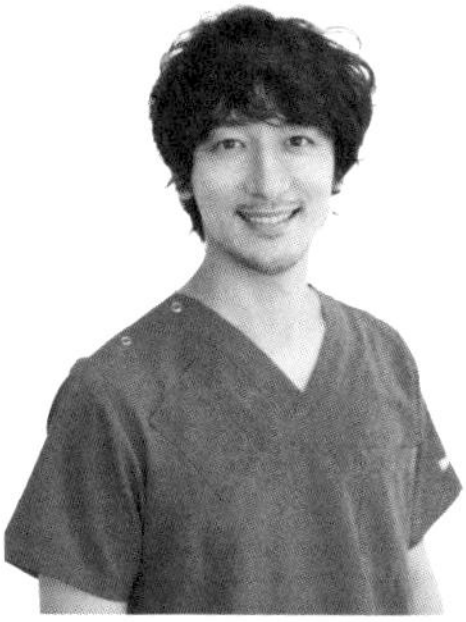

関《せき》根《ね》一《いち》朗《ろう》

ER《イーアール》のリーダー

楽《たの》しいことがあらわれるのを待《ま》つより、日々《ひび》の生活《せいかつ》に楽《たの》しさを見《み》つけ出《だ》すタイプ。みんな自分《じぶん》の人生《じんせい》の主人公《しゅじんこう》！　毎日《まいにち》がおもしろくなるかどうかは自分《じぶん》しだい！　いっしょにおもしろおかしく、楽《たの》しんで生《い》きようぜ☆

寺《てら》根《ね》亜《あ》弥《や》

パワフルお母《かあ》さん

ER《イーアール》ではみんなの健康《けんこう》を守《まも》る救急医《きゅうきゅうい》であり、家庭《かてい》では家族《かぞく》をささえるお母《かあ》さんでもあります。病院《びょういん》でも家《いえ》でも、いつもフルパワー！　みんなが元気《げんき》に毎日《まいにち》をすごせることが、一番《いちばん》の喜《よろこ》びです！

福《ふく》井《い》浩《ひろ》之《ゆき》

ムードメーカー

子《こ》どもを笑《わら》わせることが大好《だいす》きな救急医《きゅうきゅうい》。ボケがすべることもしばしばですが、ひとりでも多《おお》くの笑顔《えがお》を見《み》ることを目標《もくひょう》に仕事《しごと》をしています。いっしょに体《からだ》のしくみやケガ、病気《びょうき》について勉強《べんきょう》しましょう！

佐《さ》々《さ》木《き》弥《や》生《よい》

いつでも冷静《れいせい》

私《わたし》は小学生《しょうがくせい》のころにテレビのドラマで「救急医《きゅうきゅうい》」という仕事《しごと》を知《し》ってから、こまっている人《ひと》たちに手《て》をさしのべるお医者《いしゃ》さんを目指《めざ》してきました。みんなはしょうらい、どんな仕事《しごと》につきたいですか？

子どもの成長に合わせた本書の使い方

この本は救急医が監修した特殊な絵本仕立ての書籍で、対象年齢を限定せず、**子どもの成長に合わせたいろいろな使い方が出来ます**。

たとえば、**2~3才の幼児**には文を読まずとも、絵を一緒に見ながら感じたことをおしゃべりしてください。**もうすぐ小学生**という年齢になったら、絵の内容を読み聞かせて説明してあげてください。大人が感じたことを伝えるのもよいと思います。**小学生**には本を渡し、まずは本人に読ませて「どんな内容だった?」と対話をしてみてください。

子どもならではの解釈をしたり、親が知らないことを知っていることも、きっとあると思います。自分の**体や生命**はもちろん、家族や友達、周囲の人にまで**想像力を働かせる**ことが本書の目的です。

「See One, Do One, Teach One」は医療を学ぶ現場でよく使うフレーズ。見て覚え、やって覚え、人に教えて理解を深める。本書でもこんな工夫をしています。

Teach

ERアドバイス

4人の救急医が教えるありがちな勘違い、知っておきたい知識など。大切な人に話してみよう。

おぼえよう!

覚えておくと役立つ、友達にも教えたくなる知識。

Do

やってみよう!

いざというときに困らないよう、子どもが自分で身を守る方法を実践から学びます。

See

学習しよう

絵本の9つのテーマに基づき、子どもにも出来る、または近くの大人に助けてもらうべき効果的な応急手当、予防策などを絵でわかりやすく紹介。

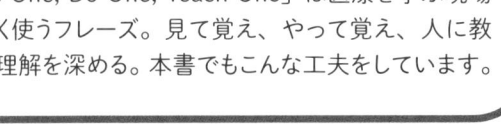

読み聞かせのポイントもわかる

9つの物語で救急医が伝えたいメッセージ

❶ 血が出た!

P.24 〜

「傷が出来たときは、消毒スプレーをすれば OK」は誤解。まず水道のきれいな水で砂やゴミなどをよく洗い流し、ばい菌の隠れる場所をなくすことが大事と覚えましょう。

❷ 頭をぶつけるとキケン!

P. 32〜

見た目に出血がなくても、内出血しているかも。頭をぶつけることは、思っているよりも危険! 脳へのダメージも心配です。自転車遊びなどには必ずヘルメット着用を。

❸ 窒息ってなに?

P.40 〜

ゲームなどに夢中で寝転んでおやつを食べたり、目を離したすきに子どもが気道に物を詰まらせると大きな事故に。なぜ起こるかを知り、子どもにも出来る対処法の練習を。

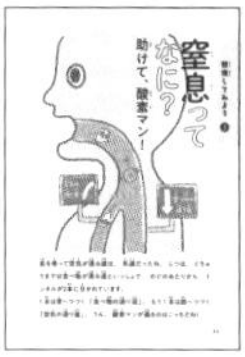

❹ 知らないうちに熱中症

P.48 〜

高齢者に限らず、子どもも遊びに熱中して水分補給を忘れ、知らないうちに熱中症になるケースが。「水分補給しなきゃ」と自覚することが大切。子どもの行動変容につなげて。

❺ 風邪をひきたくない!

P.56 〜

風邪やインフルエンザ、新型コロナ、食中毒など、細菌やウイルスの感染症予防はまず手洗いから。日頃から心がけて習慣にできるように。正しく洗えることが大切。

❻ やけどをした!?

P.64 〜

火傷のひどさは「熱(原因)の温度×接触時間」で決まります。いち早く「流水」で冷やすこと。子どもでも広範囲を素早く冷やせ、患部の汚れも流して清潔に出来ます。

❼ 動物にかまれた!

P.72 〜

猫などは歯が細長いため、見た目よりも傷が深くなりがち。動物の口中には特殊な細菌もいるので、ペットでも油断大敵。かまれたら流水でよく洗い、放っておかないこと。

❽ おぼれた!?

P.80 〜

たとえ浅瀬でも、自然の中での水遊びにはライフジャケットが必須。溺れた子どもを見てきた救急医からの警鐘。水遊びを楽しむためにも、身を守る方法を知っておいて。

❾ 交通事故にあった!?

P.88 〜

シートベルトは親が締めても、外してしまう子どもが。また、腰のベルトの締め方を誤り、内臓を損傷した事例も。近所でも油断せず、シートベルトは正しく締める習慣をつけて。

もくじ

「体《からだ》と命《いのち》のなぜなにクイズ！（96ページ）」の答《こた》え
まちがえた問題《もんだい》は⇒のページでおさらいしよう！
①B（⇒30～31ページ）／②A（⇒38～39ページ）／③B（⇒46～47ページ）／④B（⇒54～55ページ）／⑤B（⇒54～55ページ）／⑥A（⇒62～63ページ）／⑦A（⇒70～71ページ）／⑧B（⇒78～79ページ）／⑨A（⇒86～87ページ）／⑩B（⇒94～95ページ）

イラスト／寺崎 愛　デザイン／chichols　編集取材／山﨑さちこ・堀井明日香（シェルト＊ゴ）　校正／麦秋アートセンター
＊掲載の情報は2024年2月現在のものです。

第《だい》1章《しょう》

命《いのち》を守《まも》るために知《し》っておきたい 体《からだ》のしくみ

体《からだ》を守《まも》るには、 まず体《からだ》を知《し》ることから!
人《ひと》の体《からだ》にそなわった生《い》きるしくみについて、
命《いのち》を救《すく》うER《イーアール》のお医者《いしゃ》さんに教《おし》えてもらおう。

生《い》きるってなに？ 命《いのち》ってなに？

友《とも》だちと遊《あそ》んだり、ごはんを食《た》べられるのは、みんなが生《い》きているから。でも「生《い》きる」って、どういうことだろう？

みんな息《いき》を吸《す》って、はくよね。そうやって体《からだ》に酸《さん》素《そ》を取《と》りこんで、それを血《けつ》液《えき》にのせて内《ない》臓《ぞう》など全《ぜん》身《しん》に送《おく》りとどけることが、お医《い》者《しゃ》さんの考《かんが》える「生《い》きる」ってこと。だから、酸《さん》素《そ》がとどかなくなると、体《からだ》は弱《よわ》って、やがて死《し》んでしまうんだ。

こわがらないで。みんなが自《じ》分《ぶん》で自《じ》分《ぶん》の体《からだ》を守《まも》れば、命《いのち》を守《まも》ることができるよ。

はじめに、ER《イーアール》のお医《い》者《しゃ》さんが命《いのち》を守《まも》るために大《たい》切《せつ》にしているA《エー》B《ビー》C《シー》D《ディー》アプローチをとくべつに教《おし》えます。

酸素《さんそ》マン

生《い》きるって体《からだ》に
酸素《さんそ》を取《と》りこんで
全身《ぜんしん》に送《おく》りとどけること!

生《い》きるため、
命《いのち》を守《まも》るために
ER《イーアール》のお医者《いしゃ》さんが
だいじにする

A《エー》B《ビー》C《シー》D《ディー》

を見《み》てみよう!

セイくん

この本《ほん》の主人公《しゅじんこう》。いつもポッケに虫《むし》メガネを入れてる、知《し》りたがりの小学《しょうがく》生《せい》。ひそかにお医者《いしゃ》さんを目指《めざ》して、いろんなことを学《まな》ぶよ。

空気《くうき》の通《とお》り道《みち》

Airway

エアウェイ

空気《くうき》の通《とお》り道《みち》を「気道《きどう》」というよ

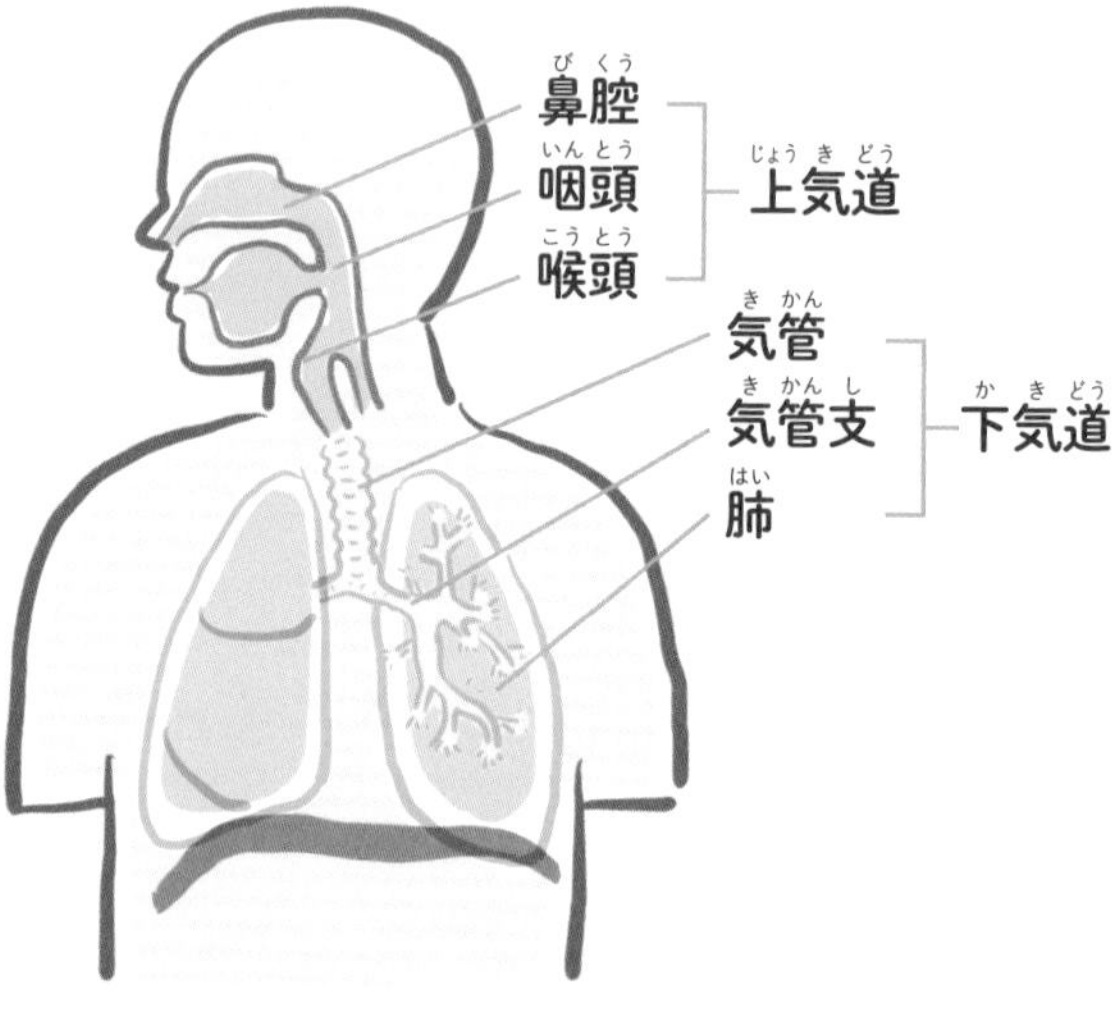

鼻《はな》からのどまでを上気道《じょうきどう》といいます。気管《きかん》から先《さき》は下《か》気道《きどう》といい、ふたつに分《わ》かれ、左右《さゆう》の肺《はい》につながっています。鼻《はな》や口《くち》から吸《す》った空気《くうき》は、上下《じょうげ》の気道《きどう》を通《とお》って肺《はい》に送《おく》られ、空気《くうき》の中《なか》の酸素《さんそ》を体《からだ》に取《と》りこみます。

生《い》きていくには酸素《さんそ》がひつよう

私《わたし》たちは、空気中《くうきちゅう》の酸素《さんそ》がないと生《い》きていけません。酸素《さんそ》は人間《にんげん》の体《からだ》を動《うご》かすねんりょうであり、体《からだ》の中《なか》でエネルギーを生《う》みます。

だから、酸素《さんそ》が通《とお》る気道《きどう》（エアウェイ）は、つねに開通《かいつう》していなければいけません。ER《イーアール》の診察《しんさつ》でも、一番《いちばん》はじめにチェックします。

みんなの気道《きどう》が開通《かいつう》しているか、確《たし》かめるかんたんな方法《ほうほう》は「声《こえ》を出《だ》せるか」。気道《きどう》がつまると、うまく声《こえ》が出《だ》せません。人間《にんげん》は酸素《さんそ》がないと数分《すうふん》でも死《し》んでしまうため、そういうときは下《した》の方法《ほうほう》で気道《きどう》が開《ひら》いたじょうたいにすることがきほんです。

気道確保《きどうかくほ》のきほん

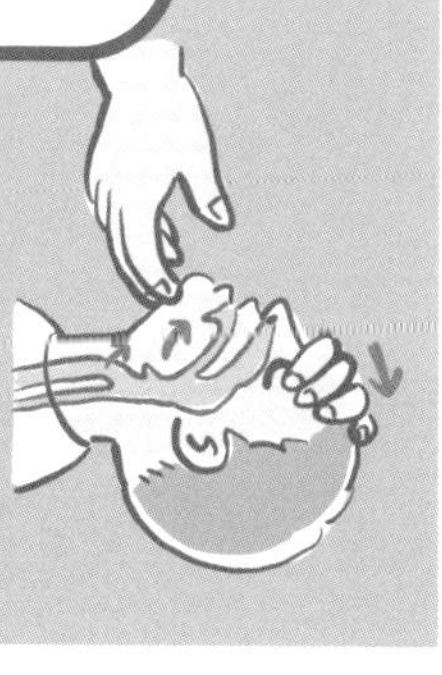

たおれた人《ひと》のおでこにかた手《て》をあてて頭《あたま》を後《うし》ろにそらし、もうかたほうの手《て》の指《ゆび》2本《ほん》であごの先《さき》を持《も》ち上《あ》げて空気《くうき》の通《とお》り道《みち》をつくります。家族《かぞく》や友《とも》だちとためしてみよう！　パパやママが寝《ね》ているときにいびきをかいていたら、同《おな》じようにそっと頭《あたま》の角度《かくど》をかえてみて。空気《くうき》の通《とお》り道《みち》が広《ひろ》がると、いびきが聞《き》こえなくなるかもしれないよ。

息《いき》を吸《す》ってはく

Breathing

ブリージング

酸素《さんそ》と二酸化炭素《にさんかたんそ》をこうかんするよ

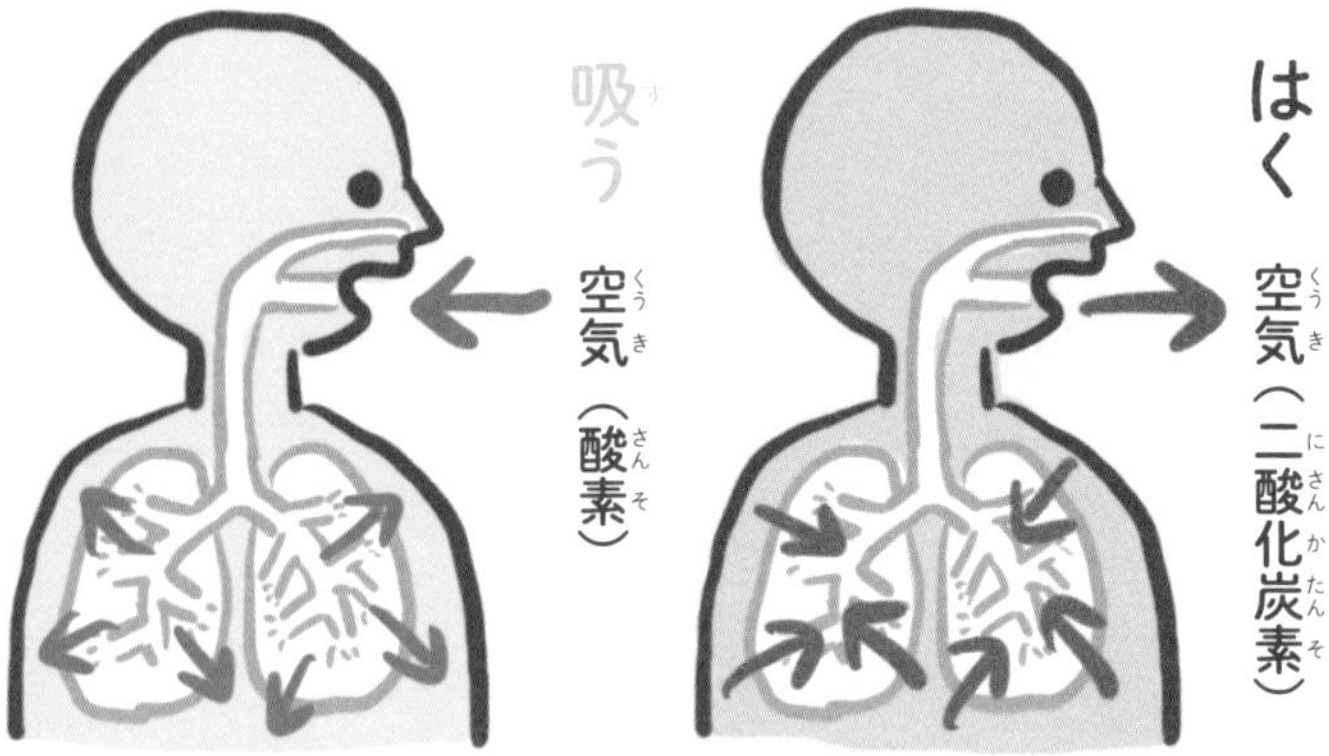

息《いき》を吸《す》うときに空気中《くうきちゅう》の酸素《さんそ》を体《からだ》に取《と》り入《い》れ、はくときにいらなくなった二酸化炭素《にさんかたんそ》を体《からだ》から出《だ》すよ。空気《くうき》は気道《きどう》を通《とお》って肺《はい》にたどりつき、肺《はい》の中《なか》の小《ちい》さな血管《けっかん》で酸素《さんそ》と二酸化炭素《にさんかたんそ》のこうかんをします。

肺《はい》は風船《ふうせん》みたいにふくらんで戻《もど》る

息《いき》を吸《す》ってはくことを呼吸《こきゅう》（ブリージング）といい、私《わたし》たちは呼吸《こきゅう》をして肺《はい》から生《い》きるためにひつような酸素《さんそ》を取《と》りこみます。

肺《はい》は風船《ふうせん》のように空気《くうき》を吸《す》うとふくらみ、はくともとに戻《もど》ります。風船《ふうせん》はひとつではなく、じつは肺《はい》の中《なか》には小《ちい》さな風船《ふうせん》がたくさんあります。そのまわりには小《ちい》さな血管《けっかん》がクモの巣《す》のようにはっていて、そこから酸素《さんそ》は血液《けつえき》の中《なか》に溶《と》けこみ、いらない二酸化炭素《にさんかたんそ》が血液《けつえき》の中《なか》から出《で》ていくのです。

呼吸《こきゅう》をすると、小《ちい》さい子《こ》どもはいっしょにお腹《なか》が動《うご》きますが、8才《さい》くらいからはいっしょに胸《むね》が動《うご》くよ。

気管《きかん》
気管支《きかんし》

肺《はい》の中《なか》はこんなふう

気管支《きかんし》がこまかく分《わ》かれ、先《さき》は小《ちい》さな風船《ふうせん》のようになって小《ちい》さな血管《けっかん》がびっしり。ここで血液中《けつえきちゅう》の酸素《さんそ》と二酸化《にさんか》炭素《たんそ》をこうかんします。

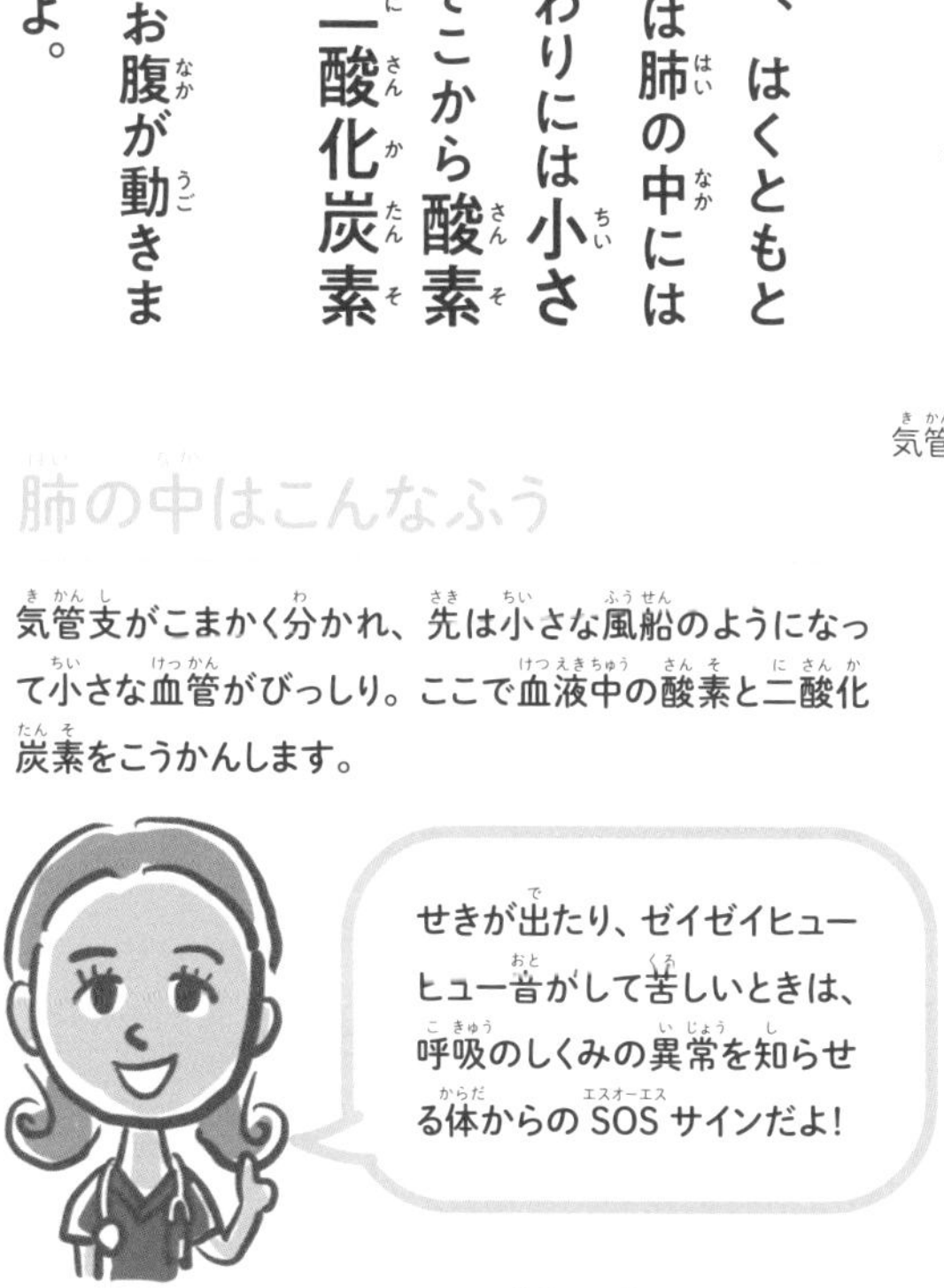

せきが出《で》たり、ゼイゼイヒューヒュー音《おと》がして苦《くる》しいときは、呼吸《こきゅう》のしくみの異常《いじょう》を知《し》らせる体《からだ》からのSOS《エスオーエス》サインだよ!

小《ちい》さな風船《ふうせん》がぶどうのふさのように集《あつ》まっていて「肺胞《はいほう》」といいます。

血《ち》のめぐり

Circulation

サーキュレーション

心臓《しんぞう》は全身《ぜんしん》をめぐる血液《けつえき》の基地《きち》

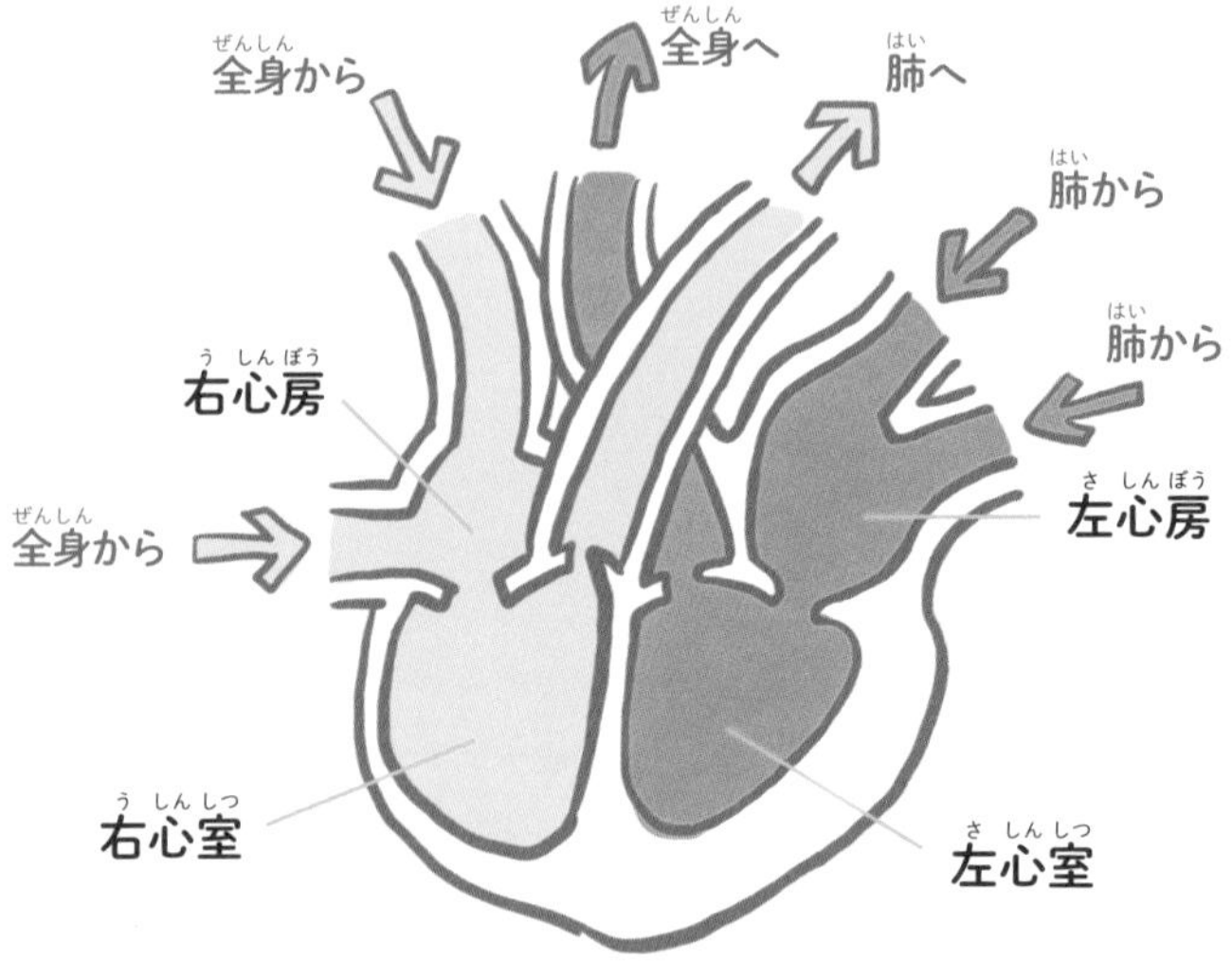
全身《ぜんしん》から
全身《ぜんしん》へ
肺《はい》へ
肺《はい》から
肺《はい》から
右心房《うしんぼう》
左心房《さしんぼう》
全身《ぜんしん》から
右心室《うしんしつ》
左心室《さしんしつ》

心臓《しんぞう》は4つの部屋《へや》からできています。使《つか》い古《ふる》された血《けつ》液《えき》が帰《かえ》ってきて、肺《はい》に送《おく》り出《だ》すのが「右心房《うしんぼう》と右心《うしん》室《しつ》」。肺《はい》で酸素《さんそ》をもらった血液《けつえき》が戻《もど》って、また全身《ぜんしん》に送《おく》り出《だ》すのが「左心房《さしんぼう》と左心室《さしんしつ》」。4つの部屋《へや》がポンプのように動《うご》いて、血液《けつえき》を全身《ぜんしん》にとどけます。

血液《けつえき》が酸素《さんそ》や栄養《えいよう》を全身《ぜんしん》に運《はこ》ぶよ

私《わたし》たちの体《からだ》には全身《ぜんしん》に血管《けっかん》があり、血液《けつえき》が流《なが》れています。血液《けつえき》は、ひつような酸素《さんそ》や栄養《えいよう》を運《はこ》ぶトラックの役割《やくわり》。心臓《しんぞう》はその基地《きち》で、心《しん》臓《ぞう》が元気《げんき》に動《うご》くことで血液《けつえき》が体《からだ》のすみずみまで運《はこ》ばれるのです。

体《からだ》の中《なか》で使《つか》い古《ふる》された血液《けつえき》が心臓《しんぞう》に戻《もど》り、肺《はい》できれいになって、再《ふたた》び元気《げんき》になった血液《けつえき》が心臓《しんぞう》から送《おく》り出《だ》されるしくみを循環《じゅんかん》（サーキュレーション）とよびます。心臓《しんぞう》が止《と》まると酸素《さんそ》やエネルギーも運《はこ》べなくなるので、その場合《ばあい》は急《いそ》いでお医者《いしゃ》さんが治《ち》療《りょう》します。

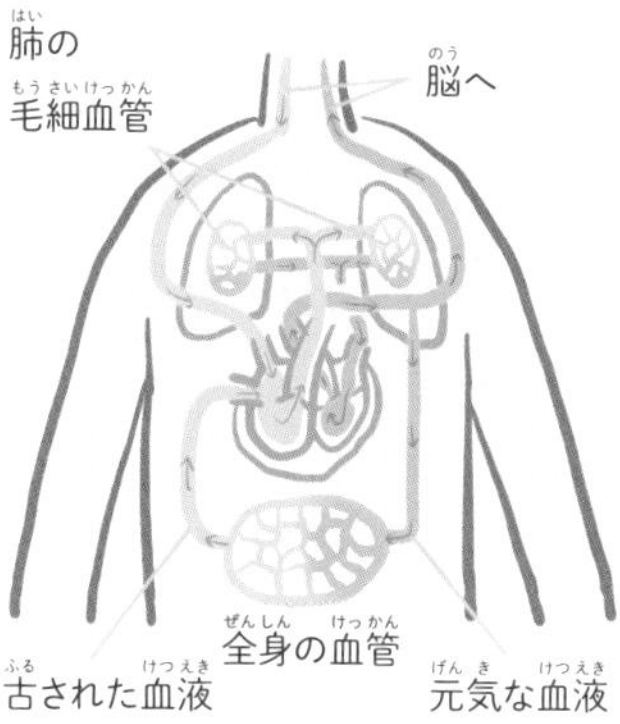

血液のめぐり方

心臓《しんぞう》から出発《しゅっぱつ》した元気《げんき》な血液《けつえき》は、脳《のう》や内臓《ないぞう》など全身《ぜんしん》に酸素《さんそ》や栄養《えいよう》をとどけます。そして使《つか》い古《ふる》された血液《けつえき》は心臓《しんぞう》まで帰《かえ》り、肺《はい》で再《ふたた》び酸素《さんそ》をもらって元気《げんき》になり、心臓《しんぞう》から出発《しゅっぱつ》します。

小学校《しょうがっこう》などの健康診断《けんこうしんだん》では、心臓《しんぞう》が正《ただ》しくリズミカルに動《うご》いているかどうか「心電図《しんでんず》」という検査《けんさ》でチェックしているよ！

脳《のう》は司《し》令《れい》塔《とう》

Dysfunction of CNS

ディスファンクション・オブ・シーエヌエス

全身《ぜんしん》に指令《しれい》を出《だ》す「中枢神経《ちゅうすうしんけい》」とは?

中枢神経《ちゅうすうしんけい》

脳《のう》とせきずいでできた、全身《ぜんしん》に指令《しれい》を送《おく》る神経《しんけい》システムの中心《ちゅうしん》。

末《まっ》しょう神経《しんけい》

中枢神経《ちゅうすうしんけい》につながり、全身《ぜんしん》にはりめぐらされたこまかい神経《しんけい》ネットワーク。

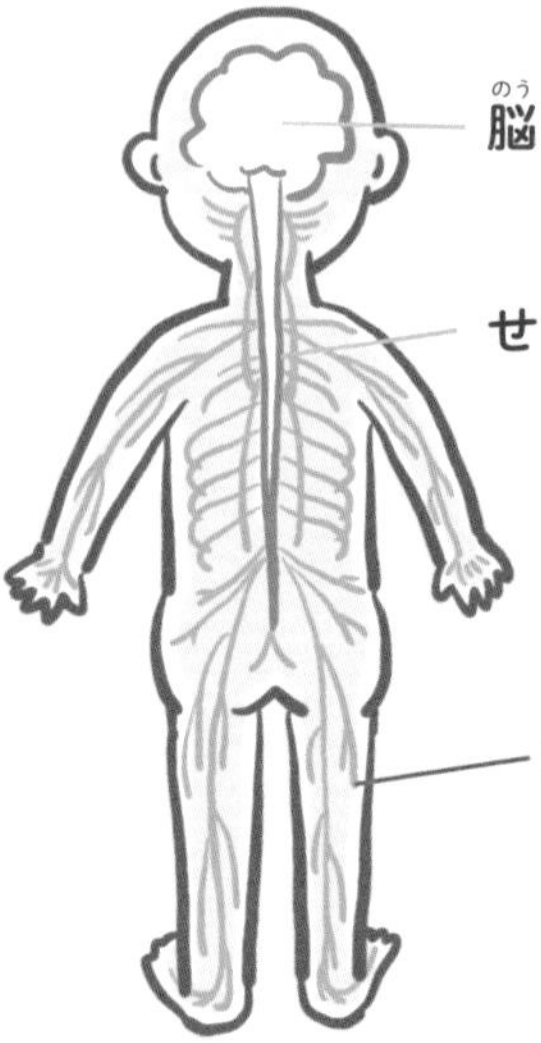

中枢神経《ちゅうすうしんけい》は末《まっ》しょう神経《しんけい》を通《とお》して全身《ぜんしん》に指令《しれい》を送《おく》って、体《からだ》をコントロールしています。指令《しれい》を出《だ》すために、見《み》たり聞《き》いたりさわったり感《かん》じたことなど、体《からだ》のあちこちから情報《じょうほう》を集《あつ》めてはんだんしているよ。

＊Dysfunction of CNS：中枢神経系《ちゅうすうしんけいけい》のしょう害《がい》

＊CNS＝セントラル ナーバス システム：中枢神経系《ちゅうすうしんけいけい》

脳《のう》はお豆腐《とうふ》みたいにやわらかくてだいじ

たとえば、呼吸《こきゅう》が休《やす》まずつづき、心臓《しんぞう》がたえ間《ま》なく動《うご》くのも、中枢神経《ちゅうすうしんけい》から指令《しれい》が出《で》ているから。指令《しれい》を出《だ》す主役《しゅやく》は脳《のう》です。

脳《のう》にはシワがたくさんあり、場所《ばしょ》ごとに役割《やくわり》が決《き》まっていて、おおまかには下《した》の図《ず》のように分《わ》かれています。脳《のう》はお豆腐《とうふ》のようにやわらかいため、かたい頭《ず》がい骨《こつ》に守《まも》られていますが、ケガや事故《じこ》で傷《きず》つくこともあります。

脳《のう》は一度《いちど》傷《きず》つくと、治療《ちりょう》をしてもなかなかもと通《どお》りには戻《もど》りません。そのため、脳《のう》を傷《きず》つけないように予防《よぼう》することが大切《たいせつ》です。

脳《のう》のつくりと働《はたら》き

脳《のう》はそれぞれの部分《ぶぶん》に役割《やくわり》があります。たとえば、「右足《みぎあし》を動《うご》かす」という役割《やくわり》がある部分《ぶぶん》に傷《きず》がつくと、右足《みぎあし》を動《うご》かせなくなってしまいます。

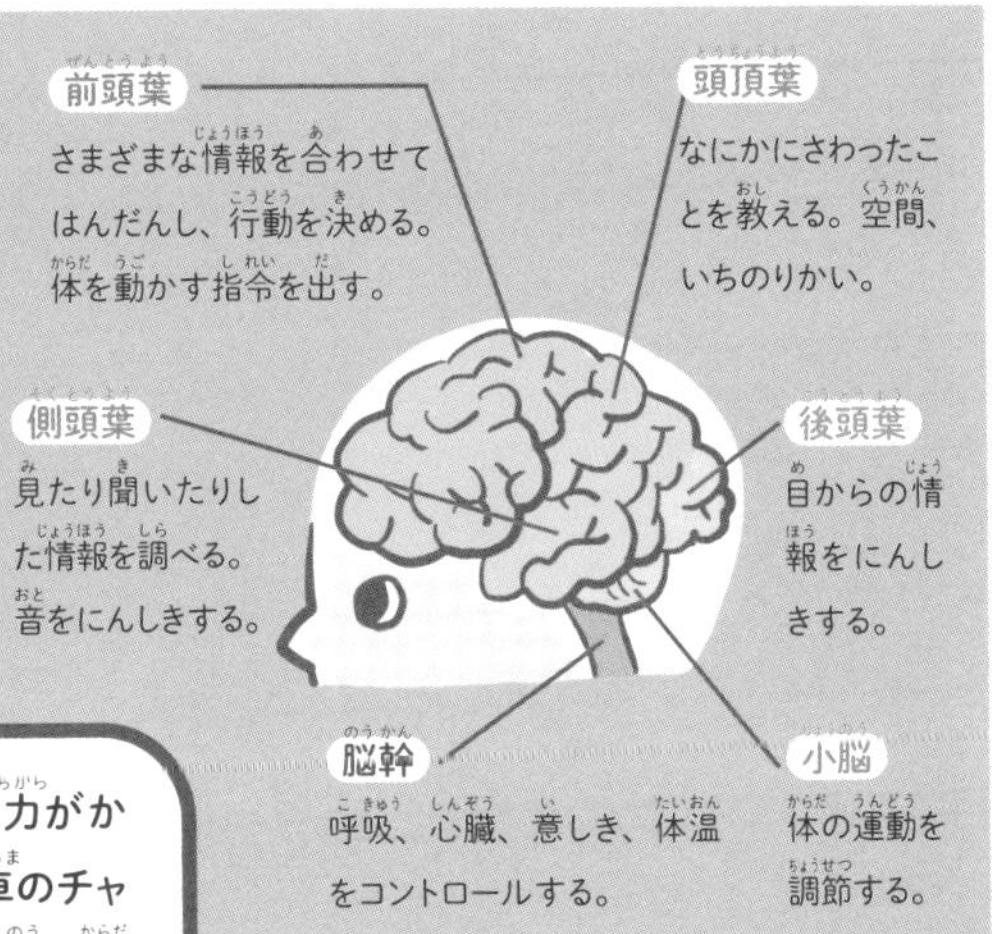
前頭葉《ぜんとうよう》
さまざまな情報《じょうほう》を合《あ》わせてはんだんし、行動《こうどう》を決《き》める。体《からだ》を動《うご》かす指令《しれい》を出《だ》す。
頭頂葉
なにかにさわったことを教《おし》える。空間《くうかん》、いちのりかい。
側頭葉
見《み》たり聞《き》いたりした情報《じょうほう》を調《しら》べる。音《おと》をにんしきする。
後頭葉
目《め》からの情報《じょうほう》をにんしきする。
脳幹《のうかん》
呼吸《こきゅう》、心臓《しんぞう》、意《い》しき、体温《たいおん》をコントロールする。
小脳
体《からだ》の運動《うんどう》を調節《ちょうせつ》する。

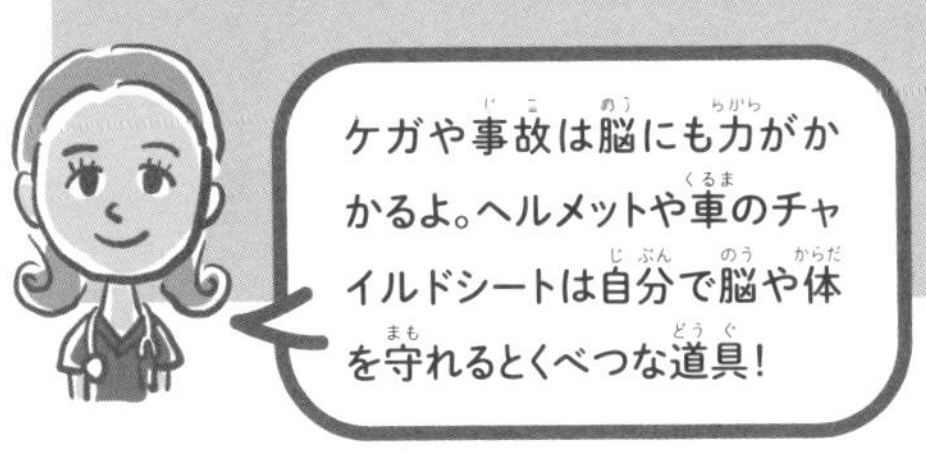
ケガや事故《じこ》は脳《のう》にも力《ちから》がかかるよ。ヘルメットや車《くるま》のチャイルドシートは自分《じぶん》で脳《のう》や体《からだ》を守《まも》れるとくべつな道具《どうぐ》!

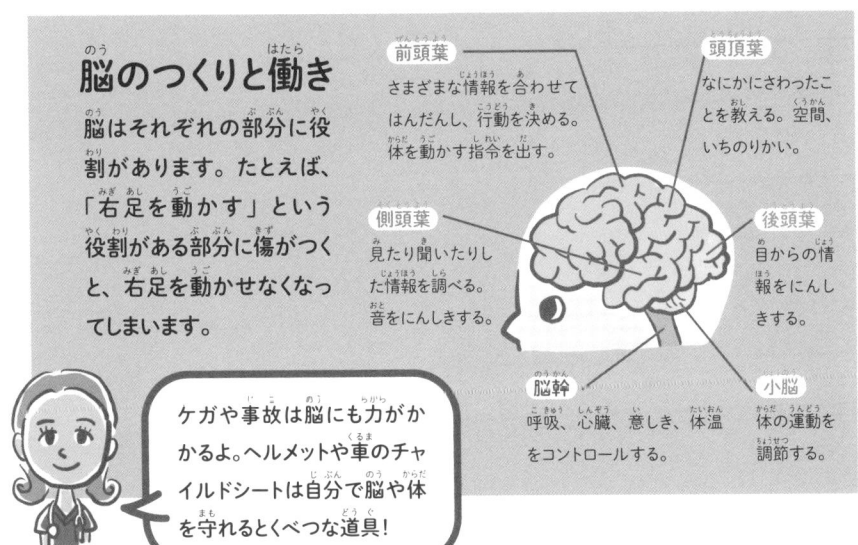

命《いのち》はひとりひとつずつ。
一度《いちど》なくしたら、
もとには戻《もど》りません。
だから自分《じぶん》の体《からだ》、 自分《じぶん》の命《いのち》を
だいじにしよう! つぎの章《しょう》では
身《み》のまわりでよくあるけれど、
本当《ほんとう》に起《お》きたら、 命《いのち》のキケンに
つながる話《はなし》をしょうかいします。
想像《そうぞう》しながら読《よ》んでくださいね。

兄《あに》のセイくんと妹《いもうと》のメイちゃん

第《だい》2章《しょう》

ケガをしたとき、病気《びょうき》になったとき

体《からだ》の中《なか》で起《お》きていることを想像《そうぞう》してみよう

いよいよ、目《め》に見《み》えない世界《せかい》へレッツゴー!
ケガや病気《びょうき》から、自分《じぶん》を守《まも》る方法《ほうほう》をさぐろう。

想像《そうぞう》してみよう ❶

血《ち》が出《で》た！

ばい菌《きん》のかくれ家《が》を水《みず》で流《なが》そう

セイくんはパパと妹《いもうと》の
メイちゃんとおさんぽ
に出《で》かけました。
あっ、メイちゃんが転《ころ》ん
じゃった！

ひざがすりむけて、血《ち》が出《で》ているね。
「でも、血《ち》はちょっとだけだ。
消毒《しょうどく》スプレーすればだいじょうぶ」
とセイくん。

「そんなに痛《いた》い？」
じゃあ、血《ち》が出《で》たところを見《み》てみよう！

……あれ？

血《ち》がわき出《だ》してプールみたい。

砂利《じゃり》まみれで、まわりもゴミだらけ！　あっ、砂利《じゃり》のかげになんかかくれたぞ。なんだろう？

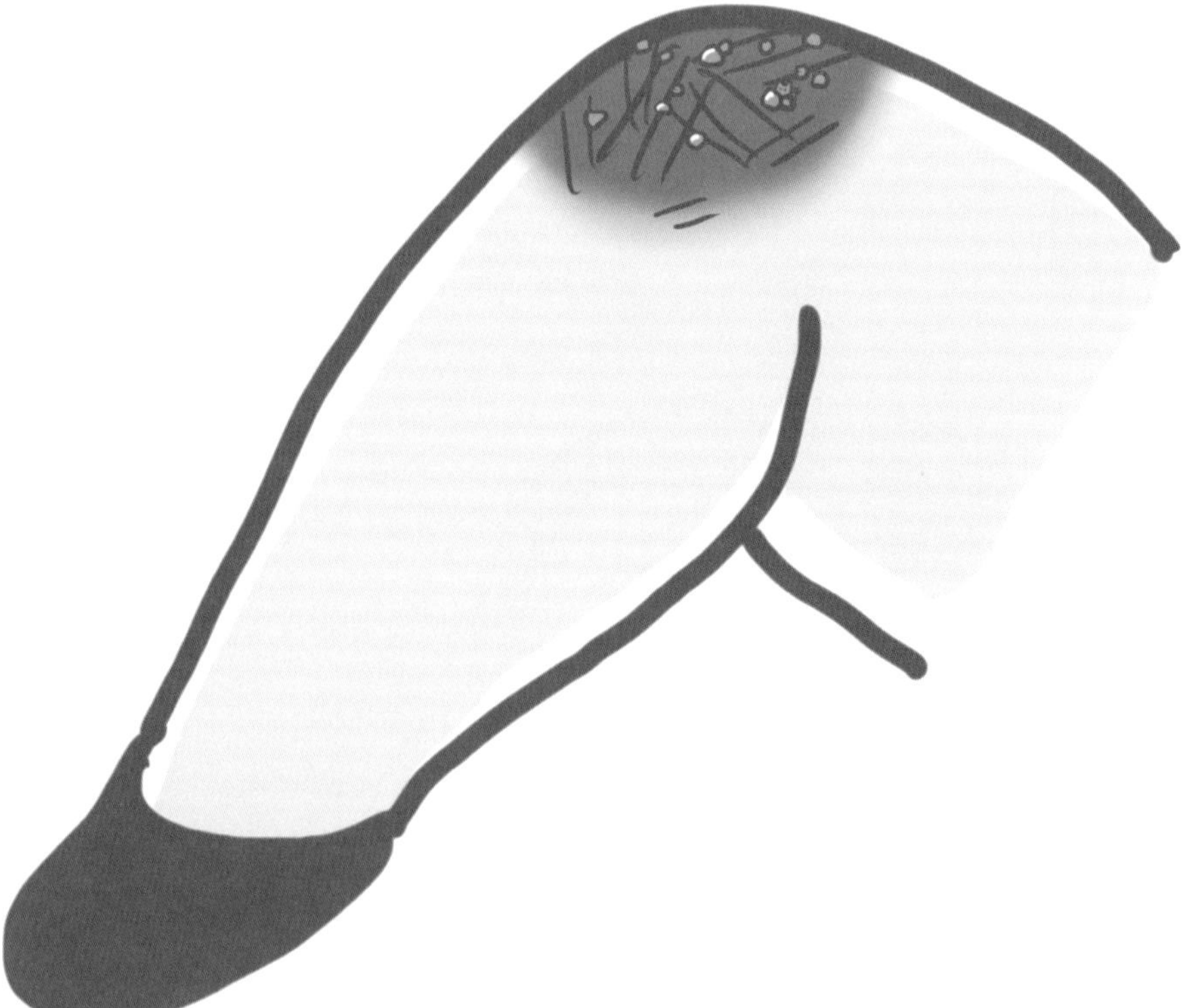

たいへん、ばい菌《きん》だ！
よく見《み》たら、砂利《じゃり》やゴミのかげに
いっぱいいるね。武器《ぶき》を持《も》って、
傷口《きずぐち》を広《ひろ》げようとしています。
どうしよう、どうしよう！
大《だい》ピンチ!!

あっ、消毒液《しょうどくえき》のシャワーです。
ホッとしたら、また砂利《じゃり》のかげにばい菌《きん》を発見《はっけん》!
消毒液《しょうどくえき》をかけても、かくれるばい菌《きん》がいるので意味《いみ》がありません。

パパがいきおいよく水《みず》を流《なが》し、傷口《きずぐち》をこすってよく洗《あら》いました。ばい菌《きん》ごと、砂利《じゃり》やゴミも一気《いっき》にジャバーッ！

「これで、ばい菌《きん》もかくれる場所《ばしょ》がないね」

学習《がくしゅう》しよう 1

転《ころ》んで血《ち》が出《で》たらどうすればいいの?

傷口《きずぐち》には消毒《しょうどく》をしないで水《みず》で洗《あら》おう!

1

すぐに水道水《すいどうすい》で洗《あら》い流《なが》そう

傷口《きずぐち》（血《ち》が出《で》ているところ）についたよごれにばい菌《きん》がかくれて残《のこ》っていると、じゅくじゅくしたり、なかなか傷《きず》がなおらなくなっちゃうんだ。まずは大量《たいりょう》の水《みず》でしっかり流《なが》して、よごれとばい菌《きん》を手《て》でやさしく洗《あら》おう。

目《め》に見《み》える
よごれが
なくなるまで
洗《あら》おう。

ER《イーアール》アドバイス

消毒《しょうどく》はしなくてOK《オーケイ》！5分《ふん》以《い》上《じょう》、洗《あら》おう

消毒《しょうどく》しても傷口《きずぐち》によごれがついていたら、そのかげにばい菌《きん》がかくれているかも!?　しかも消毒液《しょうどくえき》は、元《げん》気《き》な細胞《さいぼう》を傷《きず》つけてしまうこともあるんだ。大切《たいせつ》なのは「傷口《きずぐち》のよごれを水道水《すいどうすい》で洗《あら》い流《なが》すこと」とおぼえておこう。

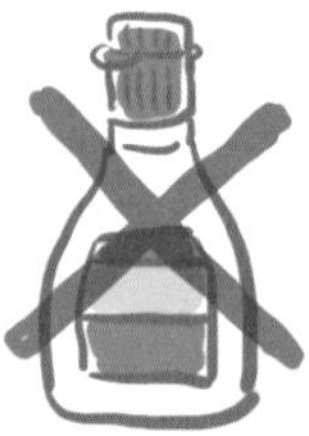

2 ガーゼでおさえて血《ち》を止《と》めよう

血《ち》が出《で》ているときは、洗《あら》った傷口《きずぐち》に清潔《せいけつ》な布《ぬの》やガーゼをあてて、しっかりおさえよう。血《ち》は20分《ぷん》くらいで止《と》まるはずだよ。傷《きず》が大《おお》きかったり、深《ふか》かったり、血《ち》が止《と》まらないときは形成外《けいせいげ》科《か》などへいって、先生《せんせい》にみてもらおう。

3 傷口《きずぐち》をかわかさないようにしよう

傷口《きずぐち》の血《ち》がかたまったかさぶたも、ばい菌《きん》のかくれ家《が》になってしまうよ。清潔《せいけつ》なガーゼやばんそうこうにワセリンなどの軟膏《なんこう》をたっぷりつけて傷《きず》口《ぐち》をおおい、かさぶたができないように守《まも》ろう。

ぎゅーっとおしあてるよ

ガーゼやばんそうこうは毎日《まいにち》かえよう

おぼえよう!

ばい菌《きん》に感染《かんせん》したら 病院《びょういん》で治療《ちりょう》がひつようだよ

傷《きず》をうるおったじょうたいにたもち、早《はや》くきれいになおす「キズパワーパッド(TM)」も使《つか》えるよ。はる前《まえ》にしっかり傷口《きずぐち》を洗《あら》い、軟膏《なんこう》はぬらずにピッタリはるのがポイント。1〜2日《ふつか》ごとに新《あたら》しくはりかえ、傷口《きずぐち》にトラブルが起《お》きていないかを確認《かくにん》。痛《いた》みがつづくとき、赤《あか》く腫《は》れたとき、くさい膿《うみ》が出《で》るときは、形成外科《けいせいげか》などにいってね。

想《そう》像《ぞう》してみよう ②

頭《あたま》をぶつけるとキケン！

血《ち》のかたまり星《せい》人《じん》あらわる

セイくんが自《じ》転《てん》車《しゃ》で遊《あそ》んでいます。
あれ？　ヘルメットをつけてないね。
あっ、あぶない！

頭《あたま》をぶつけたセイくん。
血《ち》は出《で》てないみたい……
でも、心配《しんぱい》だね。

頭《あたま》の中《なか》はぶつけたとき、
どうなってるのかな？

頭《あたま》の中《なか》には頭《ず》がい骨《こつ》があって、
中《なか》の液体《えきたい》に脳《のう》みそが浮《う》いているね。

たいへん、頭《あたま》を強《つよ》く
ぶつけた音《おと》!?

あっ、頭《ず》がい骨《こつ》の中《なか》に、
血《ち》のかたまり星人《せいじん》が
あらわれたぞ！　脳《のう》みそが
押《お》しつぶされて、苦《くる》しそう!!
こんなふうに、体《からだ》の中《なか》で血《ち》が出《で》る
ことを「内出血《ないしゅっけつ》」といいます。
血《ち》のかたまり星人《せいじん》に脳《のう》みそを押《お》さ
れると、頭《あたま》が痛《いた》くなったり、気持《きも》
ち悪《わる》くなってはいたりするんだ。

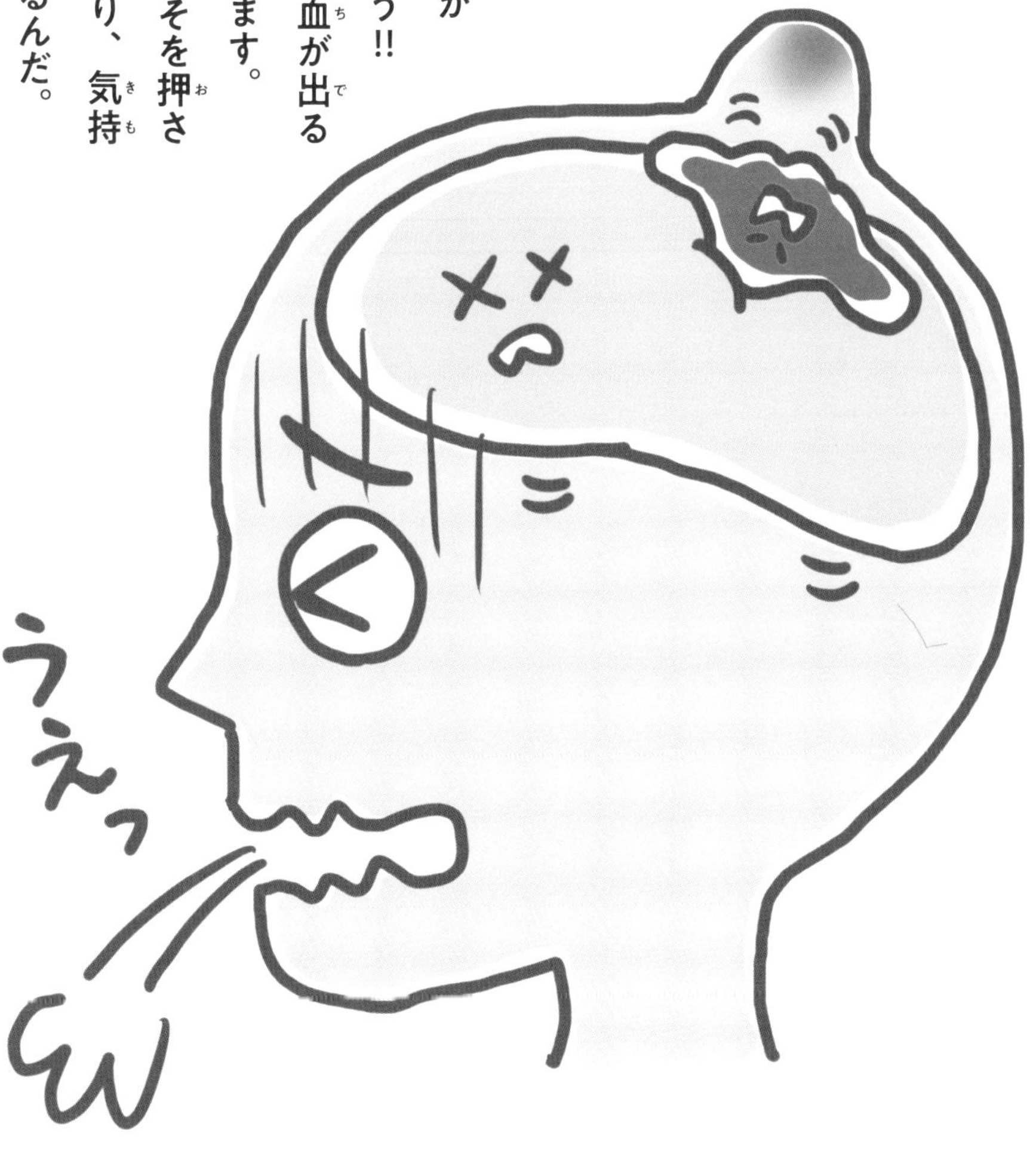

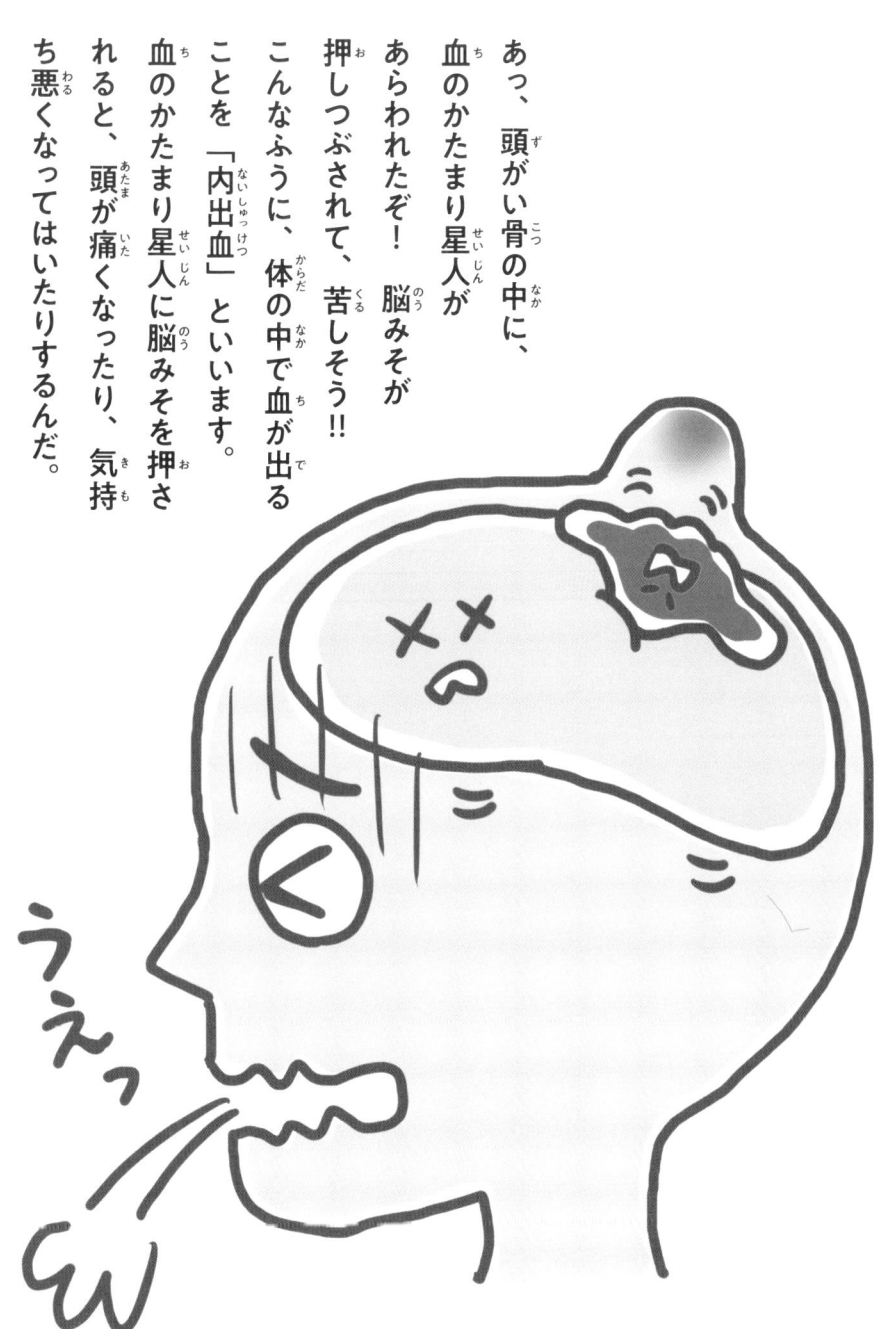

やわらかい脳《のう》みそは、かたい頭《ず》がい骨《こつ》で守《まも》られています。

でも、スペースがせまいから、血《ち》のかたまり星人《せいじん》があらわれると押《お》しつぶされちゃう！

だから、頭《あたま》をぶつけて内出血《ないしゅっけつ》すると、脳《のう》みそも苦《くる》しくなってダメージを受《う》けてしまうよ。

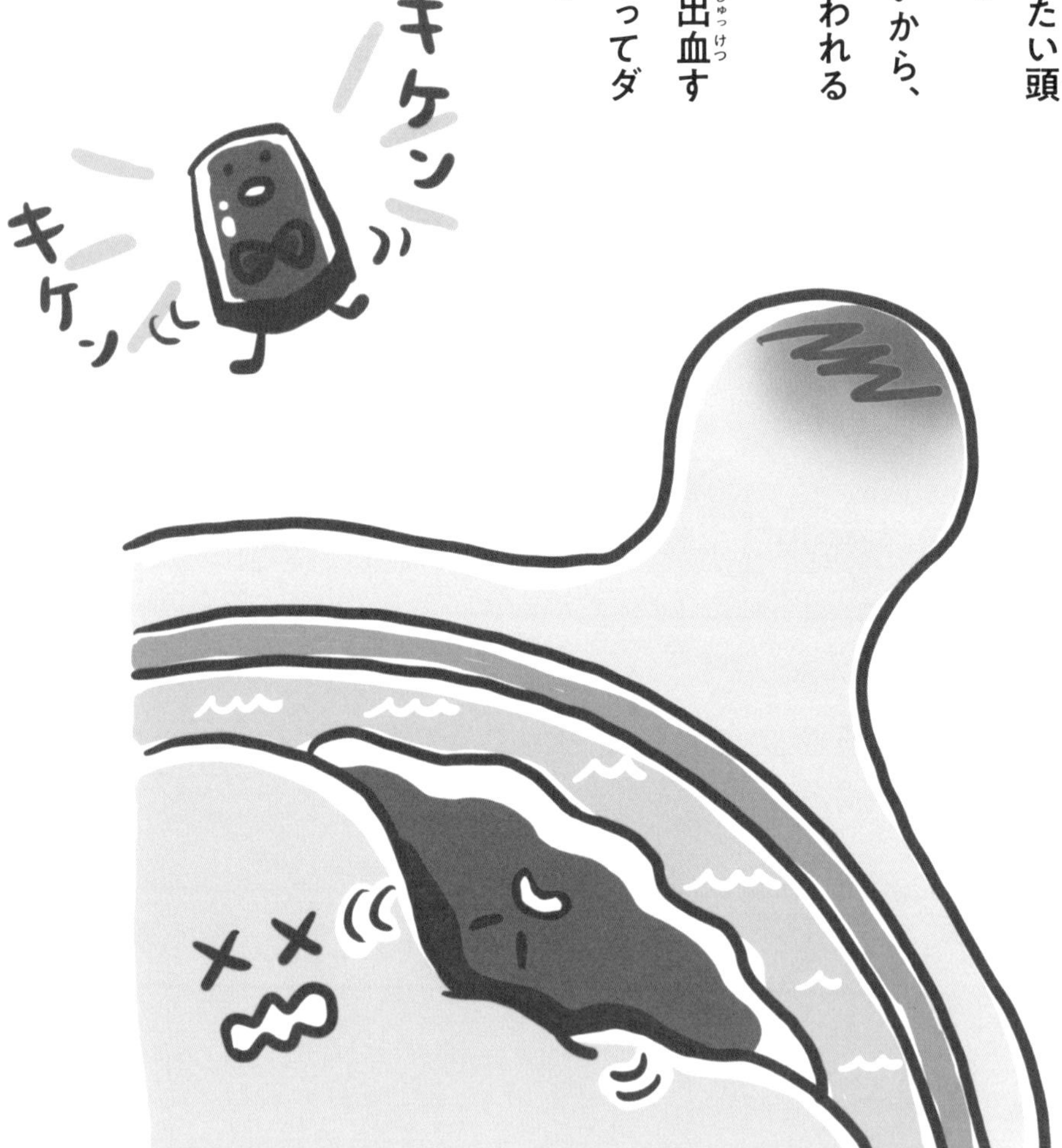

そこでたよりになるのが、
ヘルメットマン！
頭《あたま》をぶつけると、いろいろ
な症状《しょうじょう》が出《で》てこわいんだ。
ヘルメットマンで頭《あたま》を守《まも》り
ながら、安全《あんぜん》に遊《あそ》ぼうね！

学習《がくしゅう》しよう ②

頭《あたま》を強《つよ》くぶつけたらどうすればいいの？

ぶつけた部分《ぶぶん》の痛《いた》み以外《いがい》の症状《しょうじょう》に注意《ちゅうい》しよう！

頭《あたま》を打《う》って6時間《じかん》は体《からだ》の調子《ちょうし》を観察《かんさつ》しよう

頭《ず》がい骨《こつ》を骨折《こっせつ》したり、頭《あたま》の中《なか》で血《ち》が出《で》てしまっても、すぐには具合《ぐあい》が悪《わる》くならないときもあるんだ。だから、頭《あたま》を打《う》ってから24時間《じかん》、とくに最《さい》初《しょ》の6時間《じかん》は、いつもとちがうところがないか、体《からだ》のようすを見《み》ることが大切《たいせつ》だよ。

まわりの大人《おとな》にすぐいおう!!

- 頭《あたま》がすごく痛《いた》い
- 気持《きも》ちが悪《わる》い
- 何回《なんかい》もはく
- まっすぐ歩《ある》けない

ER《イーアール》アドバイス

あぶない遊《あそ》びには注意《ちゅうい》をしよう！

頭《あたま》をぶつけて脳《のう》が傷《きず》ついたら、手術《しゅじゅつ》をしても、いろいろなことが今《いま》までのようにはできなくなってしまうかもしれないよ。頭《あたま》を打《う》ちそうなあぶない行動《こうどう》はしないように、しっかり気《き》をつけよう。

- 自転車《じてんしゃ》でスピードを出《だ》しすぎない
- 高《たか》いところや階段《かいだん》の上《うえ》で、ふざけない
- ぬれて、すべり落《お》ちやすい遊具《ゆうぐ》では、遊《あそ》ばない

2才未満《さいみまん》の子《こ》は おでこ以外《いがい》の場所《ばしょ》の たんこぶに注意《ちゅうい》

　2才未満《さいみまん》（0～1才《さい》）の子《こ》は、おでこの部分《ぶぶん》以外《いがい》の頭《あたま》の骨《ほね》がうすくて弱《よわ》いので、注意《ちゅうい》がひつようなんだ。妹《いもうと》や弟《おとうと》など小《ち》さい子《こ》が、頭《あたま》の上《うえ》や横《よこ》、後《うし》ろをぶつけるのを見《み》たり、その場所《ばしょ》にたんこぶができていたら、大人《おとな》の人《ひと》に知《し》らせてね。もし病院《びょういん》にいくときは、救急科《きゅうきゅうか》や脳神経外科《のうしんけいげか》などへ。

おでこ以外《いがい》の
頭《ず》がい骨《こつ》は骨《ほね》がうすくて弱《よわ》い
おでこは
骨《ほね》が強《つよ》くて
じょうぶ

頭《ず》がい骨《こつ》の上《うえ》、横《よこ》、後《うし》ろは骨《ほね》がうすいので、頭《あたま》を打《う》ったときに頭《ず》がい骨《こつ》の中《なか》で出血《しゅっけつ》したり、骨折《こっせつ》をしやすい場所《ばしょ》なんだ。注意《ちゅうい》しよう。

やってみよう！

自転車《じてんしゃ》にのるときはヘルメット！

かがみを見《み》ながらかぶり方《かた》をチェック！

ヘルメットは、自転車《じてんしゃ》はもちろん、キックスケーター、キャスターボード、インラインスケートなどにのるときも、しっかりかぶろう。頭《あたま》を守《まも》るために、サイズや自分《じぶん》の頭《あたま》の形《かたち》に合《あ》ったものを、正《ただ》しくかぶるのが大切《たいせつ》だよ。

ヘルメットの前《まえ》のふちが、まゆ毛《げ》の上《うえ》あたりにくるよう調整《ちょうせい》
まっすぐかぶれているか確認《かくにん》
あごひもの三角形《さんかくけい》の部分《ぶぶん》の間《あいだ》に耳《みみ》があるか確認《かくにん》
頭《あたま》にフィットするようにアジャスターを調整《ちょうせい》
あごひもとあごの間《あいだ》に、指《ゆび》1本《ぽん》が入《はい》るすき間《ま》をあける

窒《ちっ》息《そく》ってなに？

助《たす》けて、酸《さん》素《そ》マン！

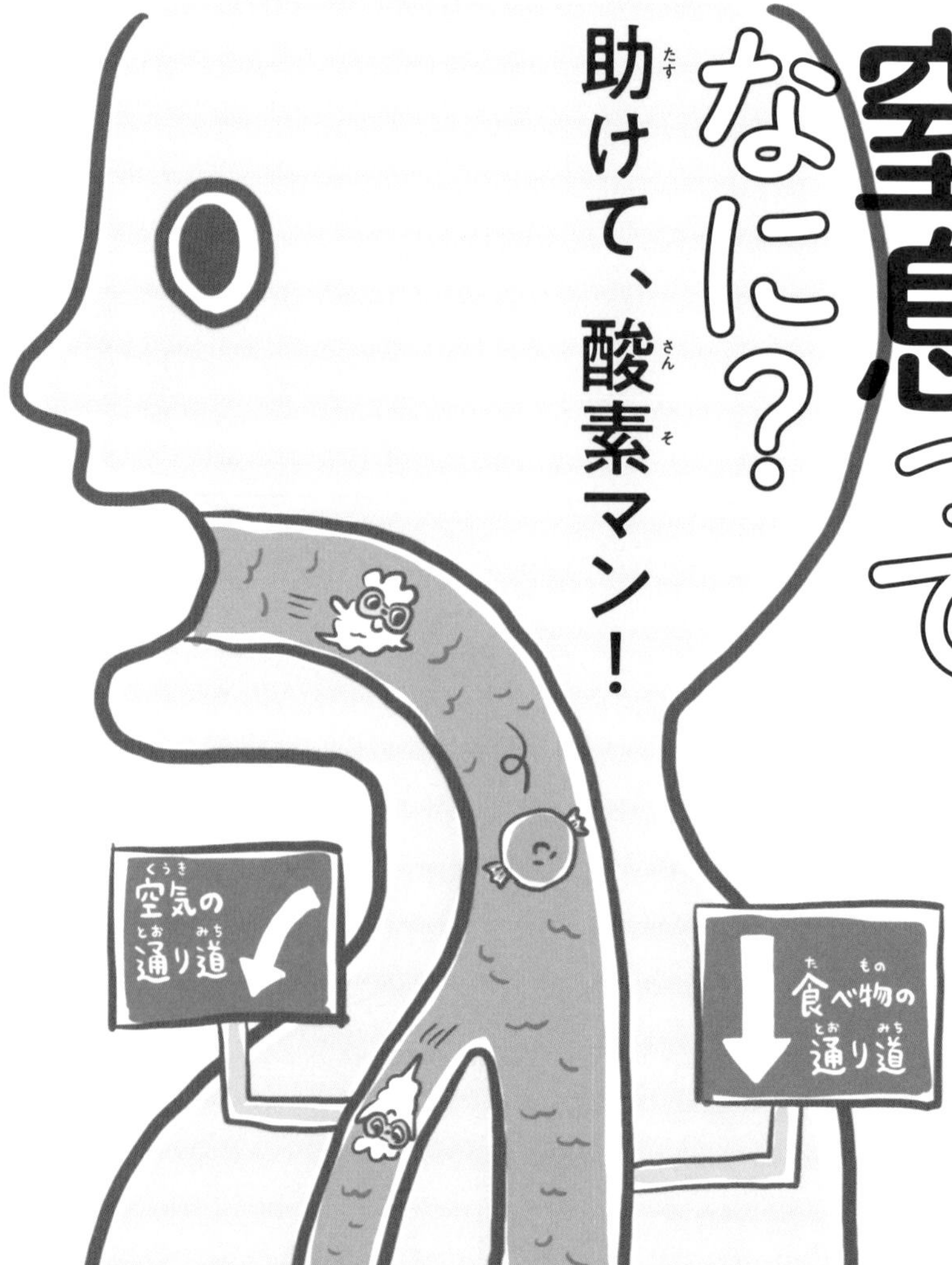

息《いき》を吸《す》って空気《くうき》が通《とお》る道《みち》は、気道《きどう》だったね。じつは、とちゅうまでは食《た》べ物《もの》が通《とお》る道《みち》といっしょで、のどのあたりから、トンネルが2本《ほん》に分《わ》かれています。

1本《ぽん》は胃《い》へつづく「食《た》べ物《もの》の通《とお》り道《みち》」。もう1本《ぽん》は肺《はい》へつづく「空気《くうき》の通《とお》り道《みち》」。うん、酸素《さんそ》マンが通《とお》るのはこっちだね!

あっ、セイくん。寝転《ねころ》びながらお菓子《かし》を食《た》べています。
「寝転《ねころ》んで食《た》べたらダメよ!」
ママにしかられたのに「へーき、へーき」とセイくん。

あれ？　お菓子《かし》のかけらがうっかり「空気《くうき》の通《とお》り道《みち》」に
入《はい》っちゃったみたい！　酸素《さんそ》マンたちもびっくり。

たちまちせきこむセイくん。
食《た》べ物《もの》がまちがって「空気《くうき》の
通《とお》り道《みち》」に入《はい》ると、むせたり
苦《くる》しくなったりするんだ。

だいじょうぶ？

ママがコップにお水《みず》をくんで「寝転《ねころ》んで食《た》べるからよ。ちゃんと座《すわ》って食《た》べてね」と注意《ちゅうい》します。

でも、せきをしてもとに戻《もど》ったセイくん。ケロッとして元気《げんき》に走《はし》りまわりながら、キャンディーを口《くち》に放《ほう》りこみました。

だいじょうぶだよ～
ダダダダダッ

たいへん、セイくんが苦《くる》しそう！　顔《かお》がまっ青《さお》です。のどのおくでは……あっ、いきおいよく口《くち》に入《はい》ったキャンディーがつるりと「空気《くうき》の通《とお》り道《みち》」へ。ゴロゴロぴたっと道《みち》をふさいでいます。

「これじゃ通《とお》れないよ～」と酸素《さんそ》マンたちは大《おお》あわて！

セイくんを見《み》て、ママは急《いそ》いで背中《せなか》を強《つよ》くたたきます。すると、セイくんの口《くち》からキャンディーがポーン！

こんなふうに、「空気《くうき》の通《とお》り道《みち》」がふさがれ、酸素《さんそ》マンを体《からだ》に取《と》りこめないことを窒息《ちっそく》といいます。「空気《くうき》の通《とお》り道《みち》」に食《た》べ物《もの》などが入《はい》らないように気《き》をつければだいじょうぶ。

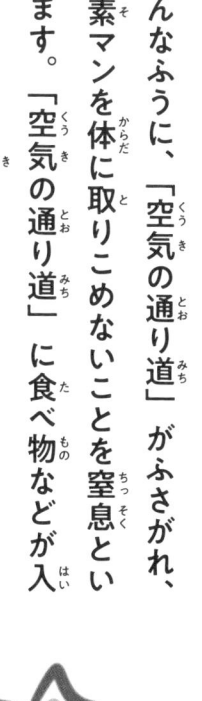

学習《がくしゅう》しよう ③

のどにものがつまったらどうすればいいの？

あわてずに、つまったものをはき出《だ》すことに集中《しゅうちゅう》しよう！

1 せきをしてつまったものをはき出《だ》すよ

のどにものがつまると、息《いき》ができなくなり、酸素《さんそ》が肺《はい》にとどかなくなってしまう。これを窒息《ちっそく》というよ。すぐに何度《なんど》もせきをして、つまったものをはき出《だ》すようにがんばろう。

窒息《ちっそく》すると、
顔色《かおいろ》が急《きゅう》に
青紫色《あおむらさきいろ》に変化《へんか》
ケホッ
ケホッ

ER《イーアール》アドバイス

のどにつまりやすい食《た》べものはコレだ！

丸《まる》くてつるっとした食《た》べものは、のどの奥《おく》に入《はい》りやすくて、つまりやすいのでおぼえておこう。遊《あそ》びながらや、寝転《ねころ》んだまま食《た》べたりしないこと。よくかみくだいて飲《の》みこむようにしよう。

あめ
ミニカップゼリー
もち
ミニトマト
ぶどう
グミ
グミ

2 はき出《だ》せなければ背中《せなか》をたたいてもらおう

せきをしてもつまったものをはき出《だ》せないときは、おうちの人《ひと》やまわりの大人《おとな》に背中《せなか》を何度《なんど》もたたいてもらうよ。そして、もしもみんなが窒《ちっ》息《そく》した人《ひと》を助《たす》けるときには、大声《おおごえ》でまわりに助《たす》けをよびながら、窒息《ちっそく》した人《ひと》ののどにつまったものが取《と》れるまで、背中《せなか》をたたきつづけよう。

たたき方《かた》

❶後《うし》ろから、片手《かたて》で体《からだ》をしっかりささえる。

❷もう片方《かたほう》の手《て》で、背中《せなか》を何度《なんど》も強《つよ》めにたたく。

たった3分《ぷん》で命《いのち》がキケンに! たたく場所《ばしょ》をマスターしておこう

のどにものがつまったとき、すぐに行動《こうどう》できるようにしておくことが、とても大切《たいせつ》なんだ。背中《せなか》のどこを、どうやってたたくか、家族《かぞく》や友《とも》だちと場所《ばしょ》を確認《かくにん》しながらイメージトレーニングをしたり、弱《よわ》い力《ちから》でじっさいにたたいて練習《れんしゅう》してみよう。

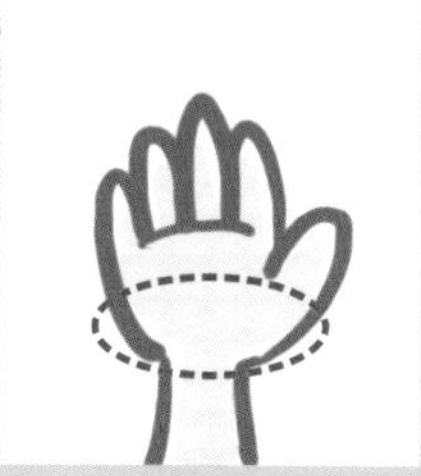

使《つか》うのは
手《て》のひらの下半分《したはんぶん》

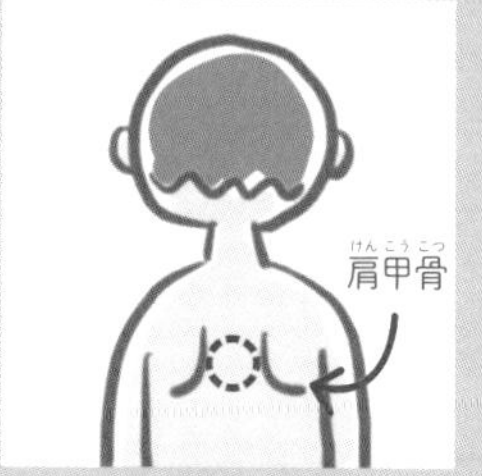

たたく場所《ばしょ》は
左右《さゆう》の肩甲骨《けんこうこつ》の真《ま》ん中《なか》あたり

知《し》らないうちに熱《ねつ》中《ちゅう》症《しょう》
ゆでダコ細《さい》胞《ぼう》を救《すく》おう

「熱中症《ねっちゅうしょう》ってなに？」

「いい質問《しつもん》だね」

風邪《かぜ》などで「熱《ねつ》が出《で》る」のは、脳《のう》の指令《しれい》で体《からだ》が熱《ねつ》を生《う》み、その熱《ねつ》で細菌《さいきん》やウイルスとたたかうからだよ。

熱中症《ねっちゅうしょう》はこれとはちがって、体《からだ》の外《そと》の暑《あつ》さやしっ気《け》で「体《たい》温《おん》が高《たか》くなる」ことをいうんだ。

体《からだ》のおく深《ふか》くの体温《たいおん》が高《たか》くなると、頭《あたま》が痛《いた》くなったり、気《き》持《も》ち悪《わる》くなったり、いろいろな内臓《ないぞう》の具合《ぐあい》が悪《わる》くなるんだ。

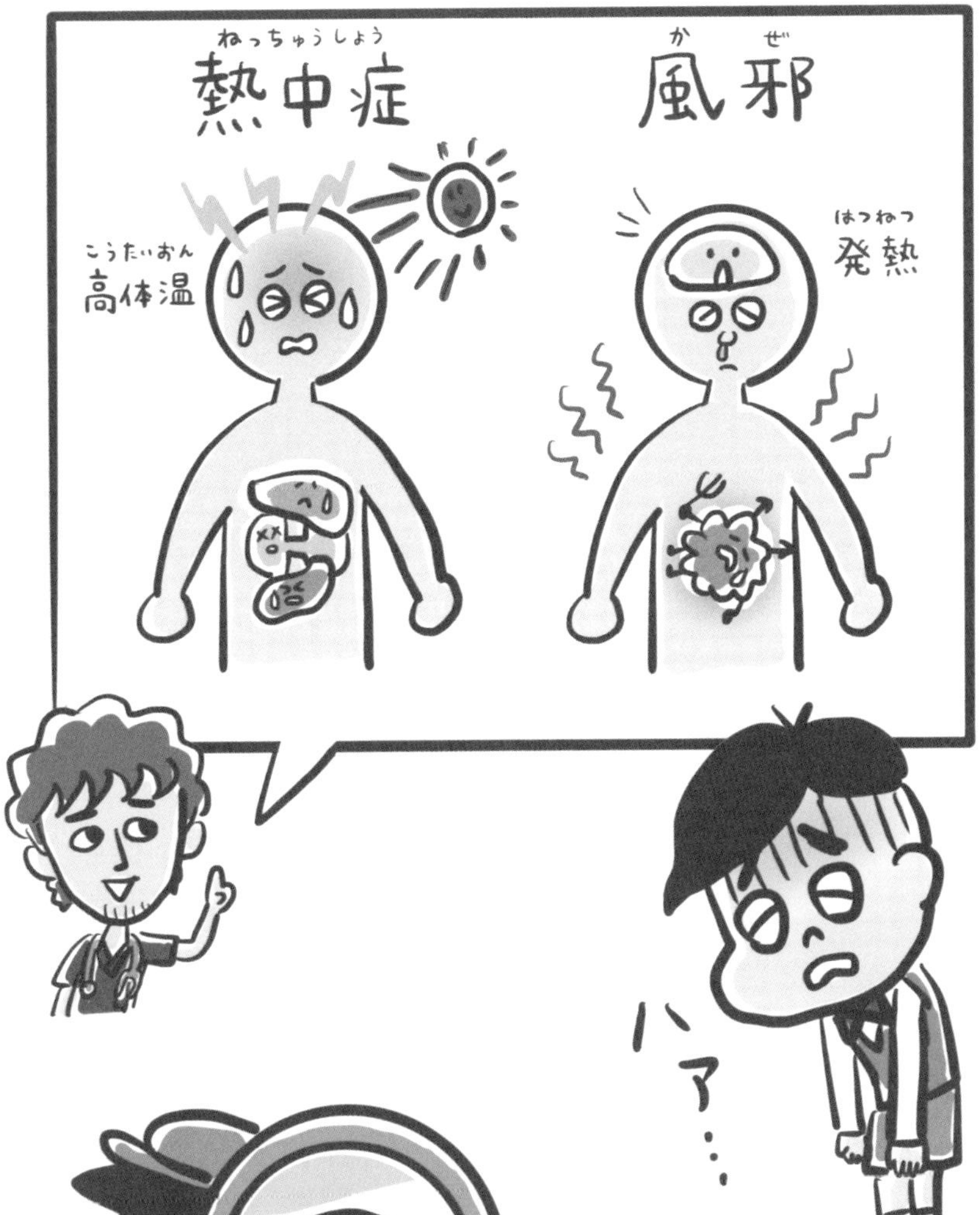

熱中症《ねっちゅうしょう》になったとき、体《からだ》の中《なか》はどうなっているの？

サッカーにむちゅうの
セイくん。
暑《あつ》い日《ひ》なのに、水分《すいぶん》ほ
きゅうも忘《わす》れて遊《あそ》んで
ます。

体《からだ》のおく深《ふか》く、内臓《ないぞう》の細《さい》
胞《ぼう》を見《み》てみよう。
いつもは水分《すいぶん》もしっかり
ためて、働《はたら》いているね。

たいへん、外《そと》の暑《あつ》さのせいで細胞《さいぼう》がゆでダコのようにまっ赤《か》！　水《みず》のタンクも空《から》っぽだ！　具合《ぐあい》の悪《わる》そうな細胞《さいぼう》もいる……。放《ほう》っておくと、ひからびちゃうよ！

やっとセイくん、ぐびぐび水分《すいぶん》ほきゅうした！
細胞《さいぼう》のタンクにも水《みず》がどんどんたまって……。
ちょっとうるおってきたぞ。

あ～あぶなかった！
知《し》らないうちに熱中症《ねっちゅうしょう》にならないように、暑《あつ》い日《ひ》は体《からだ》のおく深《ふか》くの細胞《さいぼう》のこと、思《おも》い出《だ》して！
水分《すいぶん》ほきゅうして、体《からだ》を冷《ひ》やすことがだいじだよ。

学習《がくしゅう》しよう ④

熱中症《ねっちゅうしょう》にならないために どうすればいいの？

体《からだ》の水分《すいぶん》が足《た》りない「脱水症状《だっすいしょうじょう》」にならないよう、気《き》をつけるよ！

1 体《からだ》からのキケンなサインを知《し》っておこう！

「のどがかわいた」と思《おも》ったときには、体《からだ》はもう脱水《だっすい》になりかけているかも？　とくに子《こ》どもは体温《たいおん》が上《あ》がりやすくて、脱水《だっすい》になりやすいんだ。熱中症《ねっちゅうしょう》のキケンサインを感《かん》じる前《まえ》に水分《すいぶん》をとって、すずしい場所《ばしょ》で休《やす》むようにしよう。

熱中症《ねっちゅうしょう》に
なりかけのサイン！

- 頭《あたま》がぼーっとする
- ふらふらする
- 体《からだ》がだるい
- 足《あし》がつる

ER《イーアール》アドバイス

熱中症《ねっちゅうしょう》になりやすい日《ひ》や場所《ばしょ》はここ！

キケンなのは気温《きおん》が高《たか》くて暑《あつ》い、外《そと》だけじゃないよ。曇《くも》りの日《ひ》、部屋《へや》の中《なか》、日《ひ》のあたらない場所《ばしょ》などでも、体《からだ》が脱水《だっすい》になって熱中症《ねっちゅうしょう》になってしまうことがあるから注意《ちゅうい》しよう。

- 気温《きおん》30度《ど》以上《いじょう》での運動《うんどう》や遊《あそ》び
- じめじめとむし暑《あつ》い日《ひ》
- しめきった体育館《たいいくかん》
- しめきった車《くるま》の中《なか》
- むし暑《あつ》い部屋《へや》の中《なか》

やってみよう！

のどがかわく前《まえ》に！ 飲《の》みものを飲《の》むクセをつけよう

熱中症《ねっちゅうしょう》にならないためには、こまめに水分《すいぶん》をとることが大切《たいせつ》なんだ。たとえば授業《じゅぎょう》の前《まえ》、体育《たいいく》の前《まえ》（運動《うんどう》の前《まえ》は多《おお》めに）、遊《あそ》びにいく前《まえ》、本《ほん》を読《よ》む前《まえ》など、「なにかをする前《まえ》には飲《の》みものを飲《の》む」クセをつけるのが、おすすめだよ。

2 もし熱中症《ねっちゅうしょう》になったらこの①②③を実行《じっこう》しよう

もしも体《からだ》が「熱中症《ねっちゅうしょう》になりかけのサイン」のようなじょうたいになったときは、どうすればいいかもしっかり知《し》っておこう。1時間《じかん》くらい休《やす》んでも症状《しょうじょう》がよくならないときは、救急科《きゅうきゅうか》や小児科《しょうにか》などを受診《じゅしん》してね。

❶すずしい場所《ばしょ》で横《よこ》になる

日《ひ》のあたらない木《き》のかげ、クーラーのきいたすずしい部屋《へや》などで、ラクなしせいで横《よこ》になるよ。あせをかいた洋服《ようふく》、くつ下《した》などはぬいで、うす着《ぎ》ですごそう。

❷体《からだ》を冷《ひ》やす

タオルをまいた保冷剤《ほれいざい》や、水《みず》でぬらしたタオルを、首《くび》・わきの下《した》・太《ふと》もものつけ根《ね》にあてて冷《ひ》やそう。ふるえるくらいまで冷《ひ》やさないように注意《ちゅうい》。

❸塩分《えんぶん》の入《はい》ったものを飲《の》む

お茶《ちゃ》や水《みず》ではなく、経口補水液《けいこうほすいえき》やスポーツドリンクのような塩分《えんぶん》の入《はい》ったものを飲《の》もう。

想《そう》像《ぞう》してみよう 5

風《か》邪《ぜ》をひきたくない!

手《て》洗《あら》いはやっぱりだいじ

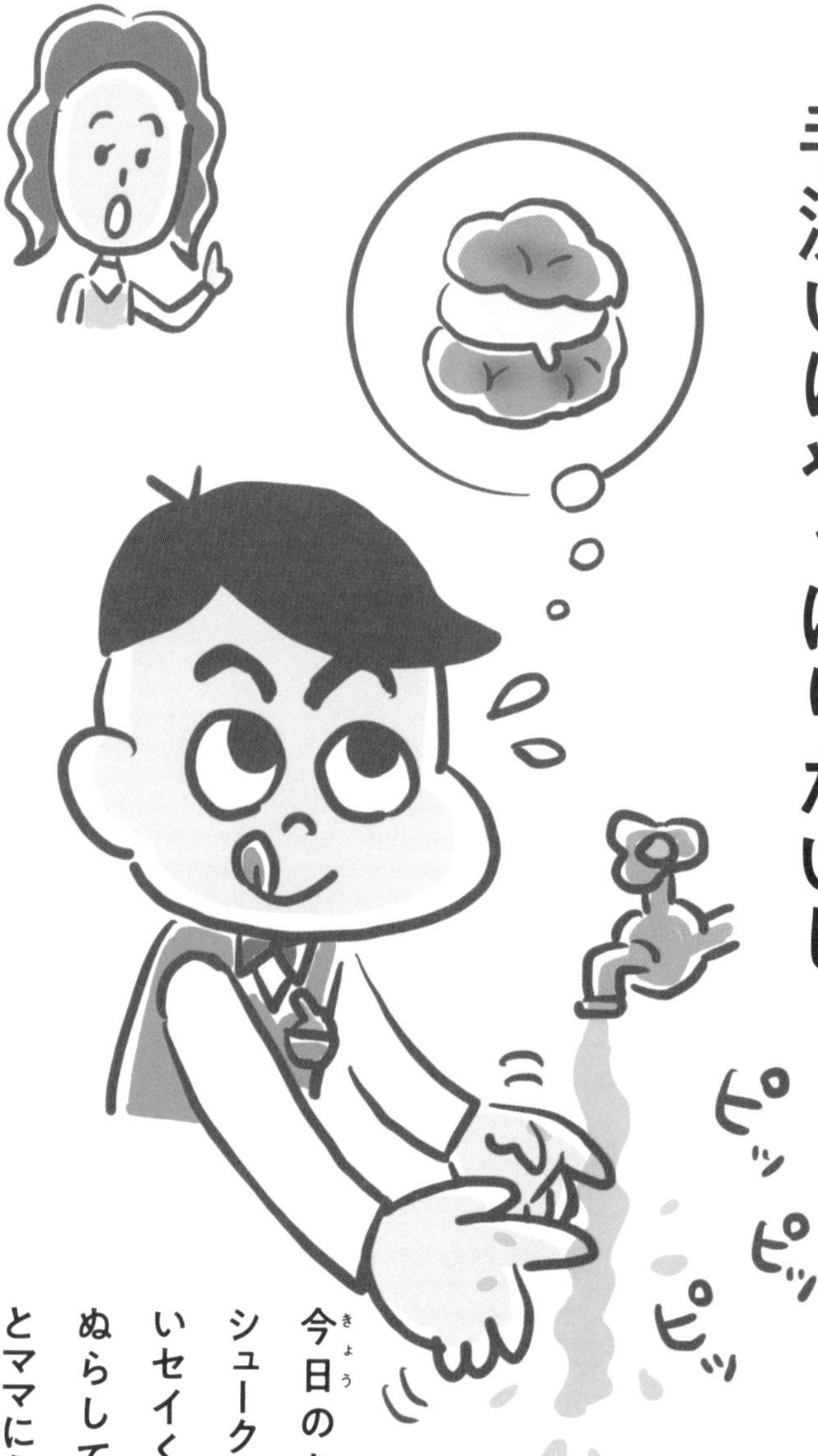

今日《きょう》のおやつは大《だい》好《す》きなシュークリーム。早《はや》く食《た》べたいセイくん。指《ゆび》さきを水《みず》でぬらして「手《て》を洗《あら》ったよ」とママにうそをつきました。

お兄《にい》ちゃんのようすを見《み》ていた妹《いもうと》のメイちゃん。
お兄《にい》ちゃんの虫《むし》メガネで、セイくんの手《て》のひらをのぞきこみました。

ぎゃ〜っ、ばい菌《きん》や
ウイルス軍《ぐん》団《だん》がう
じゃうじゃいる!!
気《き》持《も》ち悪《わる》い、
うぇ〜っ!!

外《そと》から帰《かえ》ったきたない手《て》のまま、おやつやごはんを食《た》べると、手《て》についたばい菌《きん》やウイルス軍団《ぐんだん》が体《からだ》の中《なか》に入《はい》っちゃう！
すると体《からだ》の中《なか》であばれて、風邪《かぜ》をひいたり、お腹《なか》が痛《いた》くなったりするんだね。

ちゃんと洗《あら》ったつもりでも……洗《あら》い残《のこ》しやすいのは色《いろ》つきの部《ぶ》分《ぶん》。とくに濃《こ》いピンク色《いろ》の部《ぶ》分《ぶん》は、洗《あら》い残《のこ》しが多《おお》いので注《ちゅう》意《い》!!

手《て》のこう側《がわ》　　手《て》のひら側《がわ》

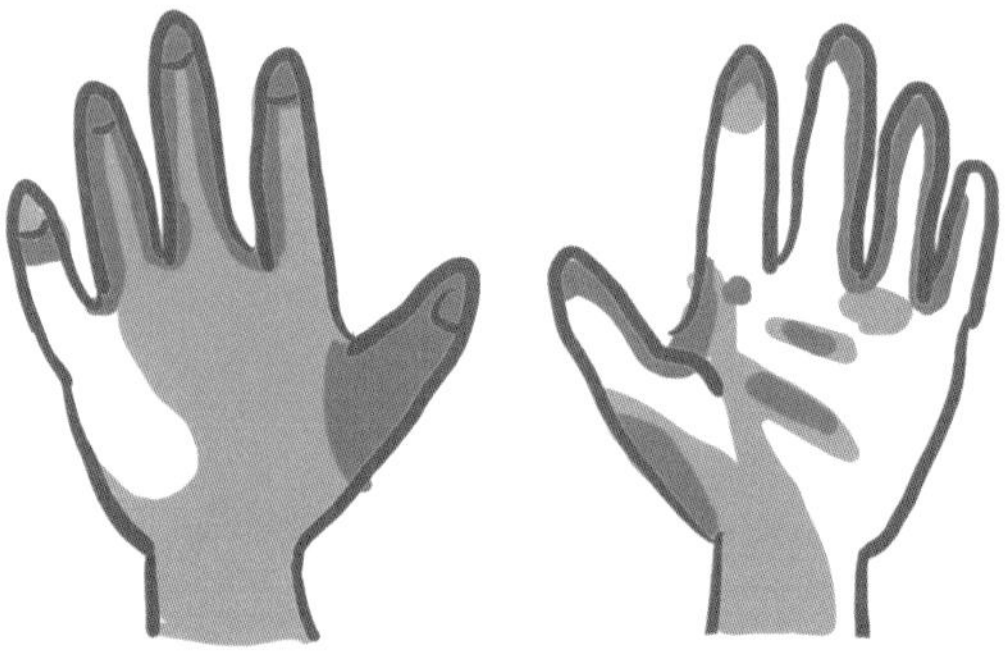

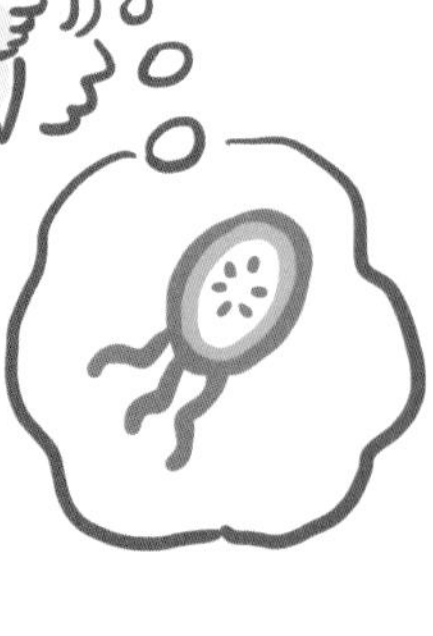

つめのすき間《ま》に、まだついてる。親《おや》指《ゆび》と人《ひと》さし指《ゆび》のまたに、まだついてる! 手《て》首《くび》まで洗《あら》わないと、まだついてる!!

正《ただ》しい手《て》の洗《あら》い方《かた》は
63ページを見《み》てね!

せっけんをつけて洗《あら》えば、
ばい菌《きん》やウイルス軍《ぐん》団《だん》を
やっつけやすくなります。
風邪《かぜ》をひきたくないし、お
腹《なか》も痛《いた》くなりたくない！
だから、手《て》洗《あら》いはしっかり
しようね。

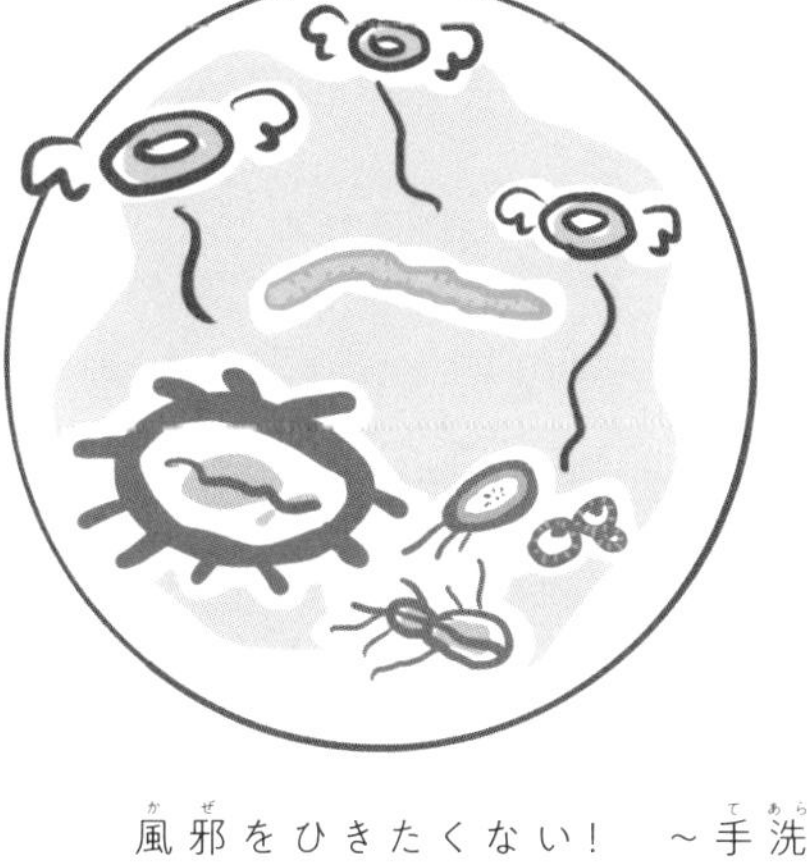

学習《がくしゅう》しよう ⑤

風邪《かぜ》をひきたくない！どうすればいいの？

ウイルスやばい菌《きん》から体《からだ》を守《まも》る必殺《ひっさつ》わざが「手洗《てあら》い」だよ！

流水《りゅうすい》とせっけんでしっかり手洗《てあら》いするよ

風邪《かぜ》は、くしゃみやせきをしたり、鼻《はな》をかんだりしたときに手《て》についたウイルスが、ものやほかの人《ひと》の手《て》についてうつることが多《おお》いよ。防《ふせ》ぐには手洗《てあら》いが最強《さいきょう》！　たっぷりのせっけんの泡《あわ》で、20秒《びょう》以上《いじょう》かけてすみずみまでしっかり洗《あら》おう。

ER《イーアール》アドバイス

もしも風邪《かぜ》をひいてしまったら……ラクになる方法《ほうほう》も知《し》っておこう

せき・鼻《はな》づまり

温《あたた》かい飲《の》みものを飲《の》んだり、メンソール成分《せいぶん》入《い》りのスッとする薬《くすり》を、胸《むね》、のど、背中《せなか》にぬるのがおすすめ。1才《さい》以上《いじょう》ならスプーン1杯《ぱい》のはちみつをなめるのも◎。

のどの痛《いた》み

食《た》べものやつばを飲《の》みこむのがつらいほど痛《いた》いときは、痛《いた》み止《ど》めの薬《くすり》を飲《の》む。

高熱《こうねつ》

熱《ねつ》で体《からだ》がつらいときはラクなしせいですごし、熱《ねつ》さましを飲《の》んで熱《ねつ》をさげる。

よごれを残《のこ》さない 洗《あら》うポイントをチェックしよう

色《いろ》の部分《ぶぶん》は洗《あら》い残《のこ》しが多《おお》いよ

ポイント1

手《て》のひら

手《て》のひら同士《どうし》をこすり合《あ》わせる

しわのよごれも落《お》ちるように、よくこすり合《あ》わせる。

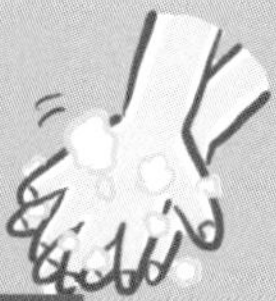

ポイント2

手《て》のこう

手《て》のひらを手《て》のこうに重《かさ》ねてこする

真《ま》ん中《なか》だけでなく、手《て》のこう全体《ぜんたい》を洗《あら》うようにしよう。

ポイント3 とくによく洗《あら》う!

指《ゆび》の間《あいだ》

両手《りょうて》の指《ゆび》を組《く》み、こすり合《あ》わせる

関節《かんせつ》のしわ、指《ゆび》と指《ゆび》のまたの部分《ぶぶん》も、よく洗《あら》おう。

ポイント4

親指《おやゆび》まわり

もう一方《いっぽう》の手《て》で親指《おやゆび》をつかみ、くるくる洗《あら》う

洗《あら》い残《のこ》しや、洗《あら》いわすれが多《おお》い場所《ばしょ》。注意《ちゅうい》しよう。

ポイント5 とくによく洗《あら》う!

指先《ゆびさき》・つめ

指先《ゆびさき》、つめをもう一方《いっぽう》の手《て》のひらにこすりつける

つめのすき間《ま》やくぼみの落《お》ちにくいよごれも、しっかりと。

ポイント6

手首《てくび》

もう一方《いっぽう》の手《て》で手首《てくび》をつかみ、くるくる洗《あら》う

手首一周《てくびいっしゅう》、洗《あら》いわすれがないように、ていねいに洗《あら》おう。

手《て》を洗《あら》いたいのは、こんなときだよ!

「外《そと》で遊《あそ》んだあと」「家《いえ》に帰《かえ》ったとき」「トイレのあと」「動物《どうぶつ》や昆虫《こんちゅう》にさわったあと」「ごはんをつくる前《まえ》」「食《た》べる前《まえ》」は、手《て》についたウイルスやばい菌《きん》からうつる病気《びょうき》を防《ふせ》ぐために、せっけんでしっかり手《て》を洗《あら》おう。「洗《あら》うポイント」を意《い》しきしてね!

想《そう》像《ぞう》してみよう 6

やけどをした!?

いち早《はや》く流《りゅう》水《すい》で冷《ひ》やそう

セイくんは食《た》べたかったカップラーメンを
テーブルに運《はこ》ぶ、お手《て》伝《つだ》い中《ちゅう》。
ごきげんなお兄《にい》ちゃんに、妹《いもうと》のメイちゃん
はちょっと心《しん》配《ぱい》そう……。

あっ！
容器《ようき》がたおれてメイちゃんの腕《うで》に
熱《あつ》いスープがかかっちゃった!?

「こんなとき、どうしたら
いいかわかる？」
「あ、先生《せんせい》！　助《たす》けて！」
「病院《びょういん》に来《く》る前《まえ》に、やって
ほしいことがあるよ」
「なに？」

「人《ひと》の肌《はだ》はたいらに見《み》えて、細胞《さいぼう》がつみかさなってできています。
外側《そとがわ》から順《じゅん》に体《からだ》の内側《うちがわ》を守《まも》るバリアをつくって……ほら、こんな感《かん》じ。熱《あつ》いものにふれると、熱《あつ》さで外側《そとがわ》から焼《や》け野原《のはら》になっていくんだ。
だから、早《はや》く熱《あつ》いものを取《と》りのぞかないと、一番おくの神経《しんけい》や内臓《ないぞう》などの将軍《しょうぐん》がやられちゃう!」

とのを守《まも》れ〜

「やけどのひどさは『どれくらい熱《あつ》いもの（温度《おんど》）に、どれだけ長《なが》くふれていたか（時間《じかん》）』で決《き》まります。やけどをしたときは、いち早《はや》く『熱《あつ》いもの』を取《と》りのぞいて冷《ひ》やすこと！

表面《ひょうめん》は焼《や》けて傷《きず》ついていても、その後《うし》ろの細胞部隊《さいぼうぶたい》がぶじなら早《はや》く回復《かいふく》するよ」

「あ〜、よかった〜」

メイちゃんのやけどがひどくならないように、ママがすぐ流水《りゅうすい》をかけました。

おちついたら、ママといっしょに病院《びょういん》へいこう！

学習《がくしゅう》しよう ⑥

やけどをしたら どうすればいいの?

やけどの原因《げんいん》をすぐに取《と》りのぞいて 水道《すいどう》のじゃ口《ぐち》へ急《いそ》ごう!

1 すぐに流《りゅう》水《すい》で冷《ひ》やそう

やけどをしたところに水道水《すいどうすい》を流《なが》しながらあて、5~15分《ふん》くらい冷《ひ》やそう。やけどの部分《ぶぶん》がよごれているときは、水《みず》で冷《ひ》やしながら手《て》でやさしく、きれいに洗《あら》うよ。もしも、やけどが自分《じぶん》の手《て》のひらよりも大《おお》きいときは、皮膚科《ひふか》や形成外科《けいせいげか》などを受診《じゅしん》してね。

洋服《ようふく》の上《うえ》から熱《あつ》いものがかかったら服《ふく》をぬぐ!

洋服《ようふく》にかくれた部分《ぶぶん》をやけどしたときは、服《ふく》をぬいでから水道水《すいどうすい》で冷《ひ》やそう。ただし、ぬげないときはむりをしないで、服《ふく》の上《うえ》から水《みず》をかけてね。

ER《イーアール》アドバイス

やけどは冷《ひ》やさないと細胞《さいぼう》がダメになっちゃう!

やけどをそのままにすると、肌《はだ》の下《した》の細胞《さいぼう》までダメになって、なおりにくくなってしまうんだ。冷《ひ》やすと、細胞《さいぼう》の深《ふか》いところにやけどが進《すす》むのをストップ、ヒリヒリした痛《いた》みもマシになるよ。

2 ワセリンをぬったガーゼで守《まも》ろう

清潔《せいけつ》なガーゼにワセリンなどの軟膏《なんこう》をぬって、やけどの部分《ぶぶん》をおおい、保護《ほご》テープでとめるよ。やけどに直接《ちょくせつ》ワセリンをぬってもOK《オーケー》。ガーゼは毎日《まいにち》、交換《こうかん》してね。もしも、水《みず》ぶくれができてしまったら、つぶさずに病院《びょういん》で受診《じゅしん》しよう。

水《みず》ぶくれはそのままでOK《オーケー》

水《みず》ぶくれは、やけどの傷《きず》を守《まも》っているよ。やぶけたら、水《すい》道《どう》水《すい》で洗《あら》い、傷《きず》がかわかないよう、ワセリンつきのガーゼをあてておこう。

家族《かぞく》みんなでさがそう!

家《いえ》の中《なか》で、やけどをしそうなものや場所《ばしょ》は?

やけどでER《イーアール》にくる患者《かんじゃ》さんは、熱《あつ》い飲《の》みものや、わかした熱湯《ねっとう》がかかったという人《ひと》が多《おお》いよ。ほかにも、ガスコンロの火《ひ》、お風《ふ》呂《ろ》、花《はな》火《び》、バイクのマフラーなどが原因《げんいん》の人《ひと》も。みんなの家《いえ》でも、気《き》をつけるポイントを探《さが》してみよう!

熱湯《ねっとう》や熱《あつ》い飲《の》みもの

ストーブ

アイロン

すい飯器《はんき》などの蒸気《じょうき》

想像《そうぞう》してみよう ❼

動物《どうぶつ》にかまれた！

猫《ねこ》はカワイイだけじゃない

たいへん！　ママが猫《ねこ》のみーちゃんにかまれちゃった！　いつもは、おとなしいみーちゃん。シャーシャーいって、ちょっとこわい……。

あっ、でも傷《きず》はちっちゃいね。
2ミリくらいの小《ちい》さな傷《きず》だし、
血《ち》もすぐに止《と》まりそうだね。

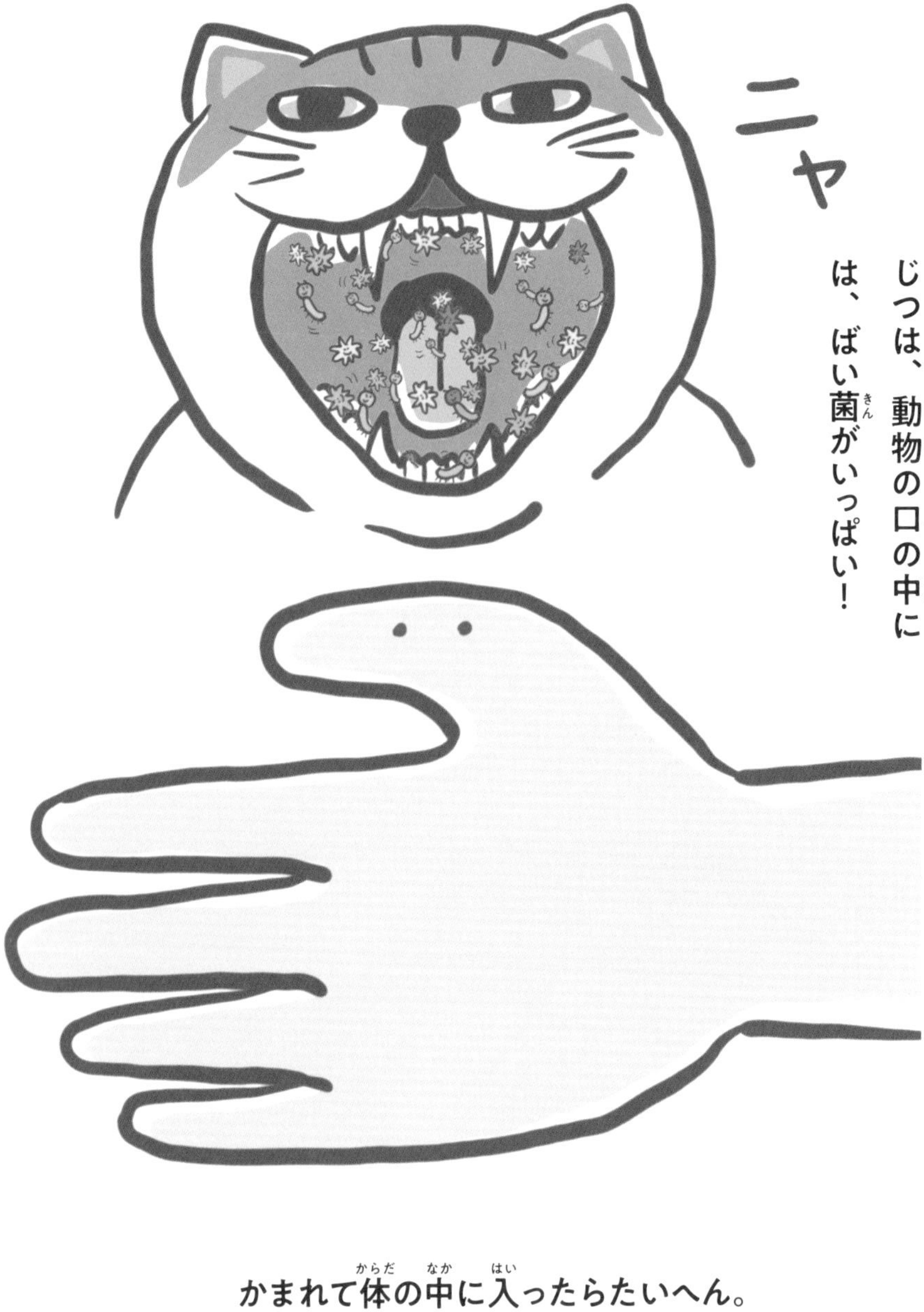

じつは、動物《どうぶつ》の口《くち》の中《なか》には、ばい菌《きん》がいっぱい！

かまれて体《からだ》の中《なか》に入《はい》ったらたいへん。
とくに猫《ねこ》は、傷口《きずぐち》は小《ちい》さく見《み》えても、
歯《は》がするどいので傷《きず》は深《ふか》いのです。

あっ、傷口《きずぐち》の中《なか》にばい菌《きん》がかくれて巣《す》をつくってるぞ！　傷口《きずぐち》は小《ちい》さいのに、おくへ、おくへ……どんどん傷《きず》は深《ふか》くなります。

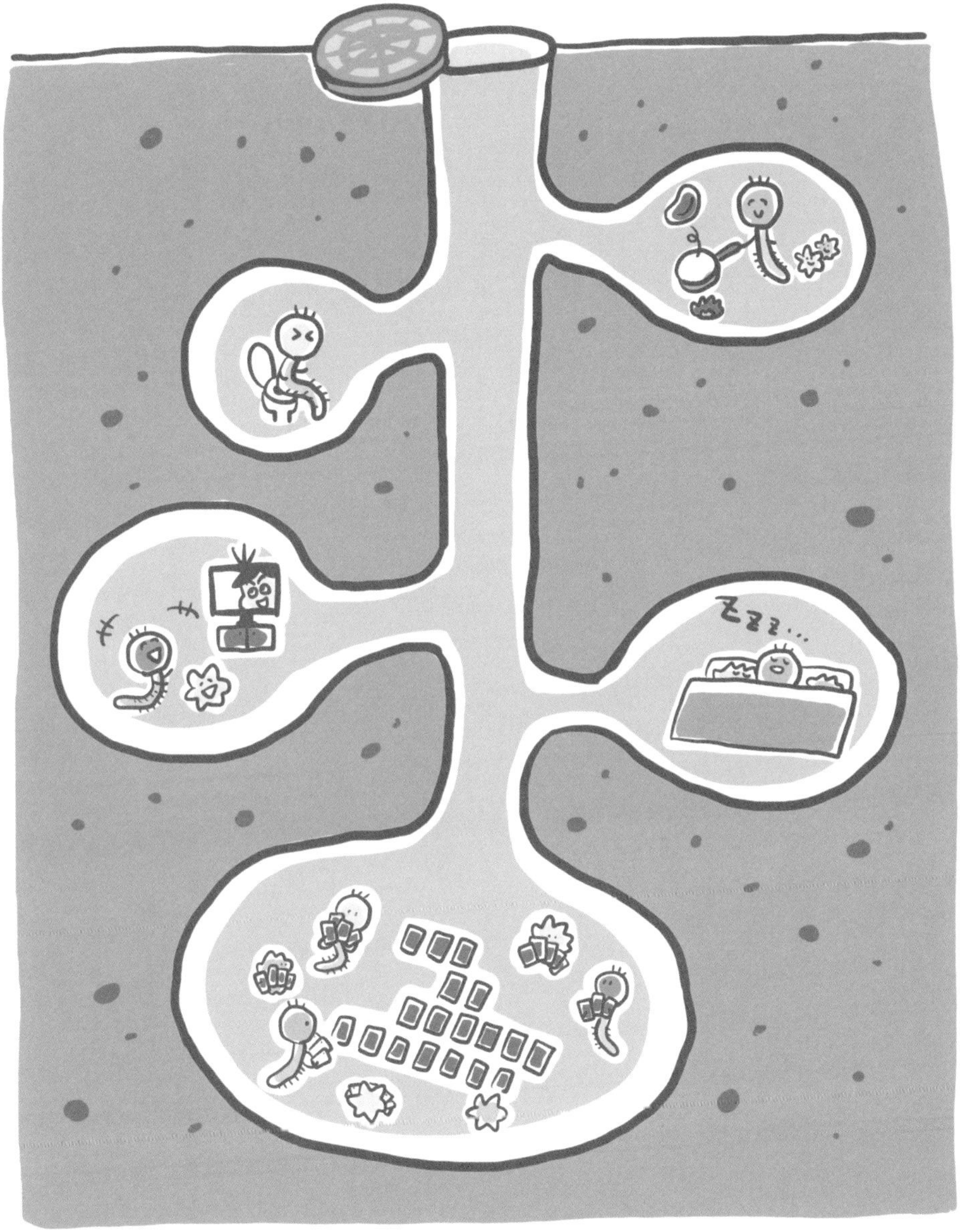

表面《ひょうめん》の傷口《きずぐち》を洗《あら》うだけじゃダメ。 傷口《きずぐち》の中《なか》、 おくのほうにもばい菌《きん》がかくれているかも! そう、 動物《どうぶつ》にかまれたときは、 ばい菌《きん》が体《からだ》の中《なか》にすみついて、悪《わる》さをしやすいのです。

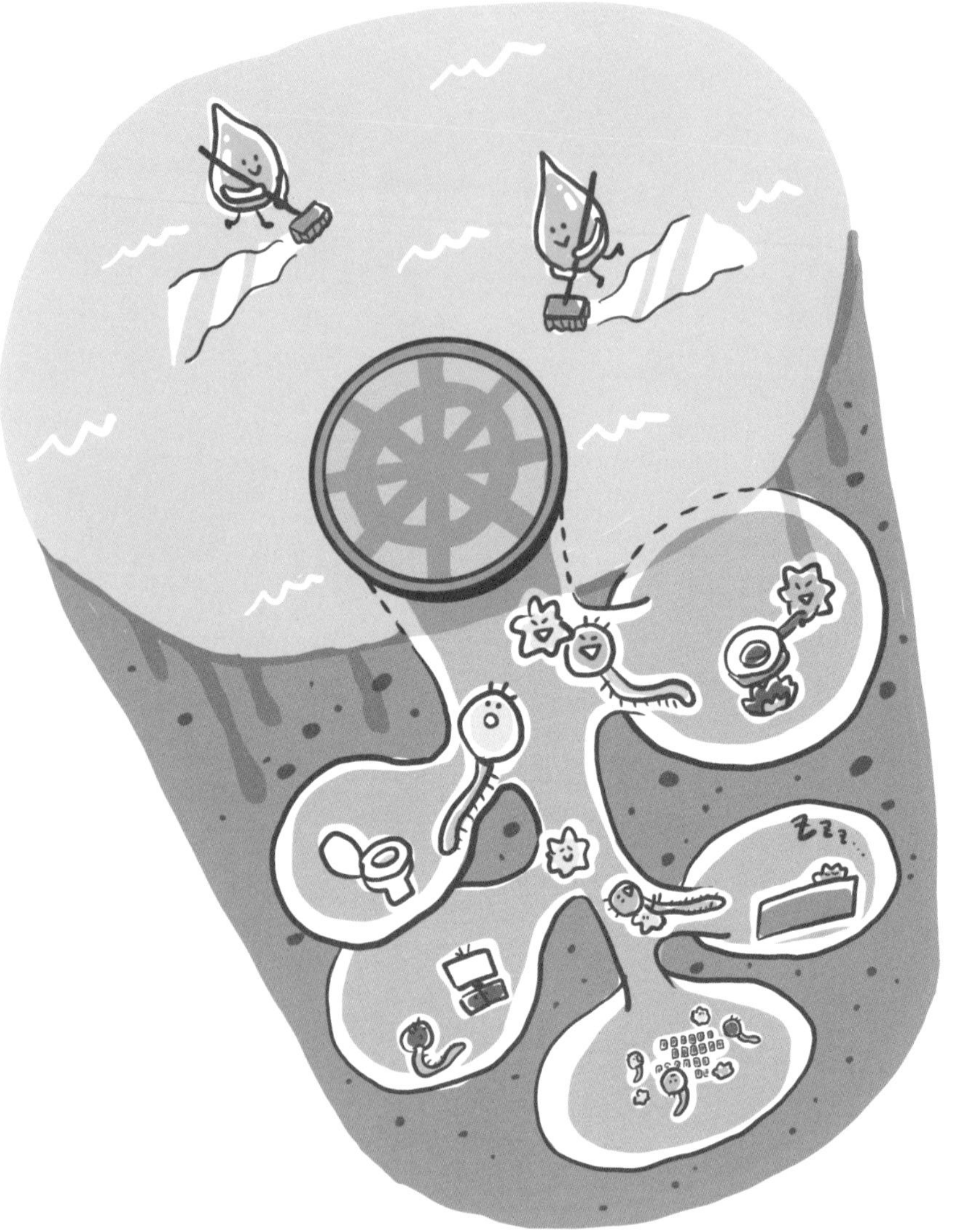

動物《どうぶつ》にかまれて血《ち》が出《で》たり、その動《どう》物《ぶつ》の歯《は》が細《ほそ》くて長《なが》いときは、病院《びょういん》で傷《きず》の中《なか》まで洗《あら》ってもらうと安心《あんしん》です。病院《びょういん》では、ばい菌《きん》が体《からだ》にすみつくのを防《ふせ》ぐ薬《くすり》ももらえます。

みーちゃんはカワイイけど、かまれないように気《き》をつけながら仲《なか》よくしようね！

学習《がくしゅう》しよう ⑦

動物《どうぶつ》にかまれたらどうすればいいの?

すぐに血《ち》が止《と》まったからだいじょうぶ…と軽《かる》く考《かんが》えないことが大切《たいせつ》!

1 血《ち》を止《と》めるより先《さき》によく流水《りゅうすい》で洗《あら》おう

猫《ねこ》や犬《いぬ》など動物《どうぶつ》の口《くち》の中《なか》には、いろいろなばい菌《きん》がいっぱい。かまれたままにしておくと、ばい菌《きん》が広《ひろ》がって傷《きず》がなおりにくくなってしまうんだ。動物《どうぶつ》にかまれたら、すぐ、流水《りゅうすい》とせっけんで洗《あら》おう。

傷《きず》のまわりではなく、傷《きず》の中《なか》を洗《あら》うイメージだよ

ER《イーアール》アドバイス

細《ほそ》くて長《なが》い猫《ねこ》のきばに注意《ちゅうい》!

猫《ねこ》にかまれると、傷《きず》は2ミリくらいと小《ちい》さいけれど、細《ほそ》くて長《なが》いきばが深《ふか》くささりやすいので気《き》をつけよう。犬《いぬ》はかむ力《ちから》が強《つよ》いので、骨《ほね》が折《お》れるなど、大《おお》きな傷《きず》になりやすいよ。ほかにも、ペットとして人気《にんき》のうさぎ、ハムスターなどの動物《どうぶつ》や、へびにも注意《ちゅうい》しよう。

2 6～8時間《じかん》以内《いない》に病院《びょういん》へ

救急外来《きゅうきゅうがいらい》、形成外科《けいせいげか》、外科《げか》、整《せい》形外科《けいげか》などに早《はや》めに相談《そうだん》しよう。病院《びょういん》で傷《きず》の奥《おく》まで洗《あら》い、必要《ひつよう》があれば感染予防《かんせんよぼう》の薬《くすり》をもらうよ。そのあとは、毎日《まいにち》1～2回《かい》、自分《じぶん》で傷口《きずぐち》を洗《あら》い、ばい菌《きん》が感染《かんせん》して赤《あか》く腫《は》れたり、黄色《きいろ》い膿《うみ》が出《で》たり、痛《いた》みが強《つよ》くなっていないかを確認《かくにん》しよう。

病院《びょういん》でもらう薬《くすり》（感染《かんせん》しないための抗菌薬《こうきんやく》）は、最後《さいご》まで飲《の》み切《き》ることが大切《たいせつ》だよ。

虫《むし》にさされたときも まずは流水《りゅうすい》で洗《あら》うよ！

さされたところをまずは水道水《すいどうすい》で洗《あら》い、かゆければ薬《くすり》をぬってね。しばらくしても腫《は》れや痛《いた》みが強《つよ》ければ、病院《びょういん》へいこう。外《そと》で虫《むし》にさされたときは、近《ちか》くに巣《す》があるかも。すぐにそこからはなれてね。

気《き》をつけたい虫《むし》

ダニ

かゆみや発疹《ほっしん》が出《で》ることが多《おお》い。目《め》に見《み》えるダニがくっついている場合《ばあい》は病院《びょういん》で取《と》ってもらおう。

ハチ

さされると、アレルギー反応《はんのう》で息《いき》が苦《くる》しくなったり、全身《ぜんしん》がかゆくなったりすることがあるよ。

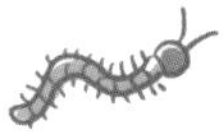

ムカデ

ハチとにた毒《どく》を持《も》ち、かまれると痛《いた》い。夜《よる》に活動《かつどう》することが多《おお》く、よく、草《くさ》むらや落《お》ち葉《ば》の下《した》にいるよ。

蚊《か》

大人《おとな》より子《こ》どもの方《ほう》がかゆみや腫《は》れが強《つよ》くなりやすい。虫《むし》よけスプレーや長《なが》そでの服《ふく》で対策《たいさく》しよう。

やってみよう！

動物《どうぶつ》にかまれたり、
虫《むし》にさされたりした友《とも》だちがいたら、
よく洗《あら》うことや、病院《びょういん》へいくことを教《おし》えてあげてね！

おぼれた⁉
ありがとう、かめ印《じるし》ライフジャケット！

海水浴《かいすいよく》に来《き》たセイくんと家族《かぞく》。

ママにライフジャケットを着《き》るようにいわれても

「浅《あさ》いからへいき」だって。

ところが、大《おお》きい波《なみ》が来《き》てざっぱーん！

青《あお》くて暗《くら》くて、
宇宙《うちゅう》にいるみたい。
上《うえ》か下《した》かもわからない。
息《いき》もできない、声《こえ》も出《だ》せない！
どっちにママがいるかも
わからない……。

見《み》上《あ》げると、ライフジャケットを着《き》た
海《うみ》がめがいます。

「た、助《たす》けて……かめさん」

「私《わたし》はライフジャケット・タートル。

だいじょうぶ、安《あん》心《しん》して背《せ》中《なか》にのって」

「海《うみ》の上《うえ》までつれていってあげるよ」

「ほんとう!?」

セイくんはかめの背中《せなか》にのりました。

「じゅんびはいい?」

「うん!」

ぶわーーーっと猛《もう》スピードで体《からだ》が浮《う》いて海《うみ》の上《うえ》へ。

「ぷはぁっ！」

ようやく息《いき》ができるようになって、声《こえ》が出《だ》せたセイくん。

「助《たす》けて、助《たす》けて！」

今度《こんど》はかんしいんさんが、猛《もう》スピードでセイくんのほうに泳《およ》いできます。

いつのまにか海《うみ》がめはいなくなっていたけれど、セイくんは胸《むね》にかめのワッペンがついたライフジャケットを着《き》ていました。

「着《き》ていてよかったね」

パパとママに抱《だ》きしめられ、泣《な》きながらセイくんは海《うみ》がめを思《おも》い出《だ》していました。

「ありがとう、ライフジャケット・タートル……」

学習《がくしゅう》しよう ⑧

水《みず》遊《あそ》びでおぼれないためにどうすればいいの？

水《みず》の深《ふか》さがたったの5cmや 10cmでもおぼれることがあるので注意《ちゅうい》!!

子《こ》ども用《よう》のライフジャケットは、水《みず》の中《なか》で顔《かお》がジャケットにうもれにくい、また下《した》ベルトがついているものを選《えら》ぼう。

1 ライフジャケットを身《み》につけよう！

「深《ふか》くないからだいじょうぶ」「泳《およ》げるからだいじょうぶ」などと思《おも》いがちだけれど、あぶなくなさそうな場《ば》所《しょ》や状況《じょうきょう》でも、水《みず》の事《じ》故《こ》で命《いのち》を落《お》とす人《ひと》がいるんだ。ライフジャケットを着《き》ていれば、顔《かお》が水《みず》の下《した》にしずまないので、しっかり息《いき》ができるよ。

2 水《みず》遊《あそ》びや泳《およ》ぐ前《まえ》に安《あん》全《ぜん》に遊《あそ》ぶための確《かく》認《にん》をしよう!

ライフジャケットのほかにも、ウォーターシューズやラッシュガードなど、ケガを防《ふせ》ぐ道《どう》具《ぐ》を用《よう》意《い》したり、水《みず》遊《あそ》びにいく場《ば》所《しょ》や時《じ》間《かん》に、キケンがないかなどを調《しら》べることも大《たい》切《せつ》だよ。

海《うみ》の深《ふか》さは変《か》わる!干《かん》潮《ちょう》（浅《あさ》い）と満《まん》潮《ちょう》（深《ふか》い）の時《じ》間《かん》を調《しら》べよう

「キケン」「遊《ゆう》泳《えい》禁《きん》止《し》」と書《か》かれた場《ば》所《しょ》では遊《あそ》ばない

体《たい》調《ちょう》が悪《わる》いときは遊《あそ》ぶのをやめよう

浮《う》き輪《わ》は大《おお》きすぎると抜《ぬ》け落《お》ちたり、小《ちい》さいとひっくり返《かえ》るなど、サイズに注《ちゅう》意《い》!

海《かい》水《すい》浴《よく》はライフセーバーやかんしいんのいる海《うみ》で

やってみよう!

自《じ》分《ぶん》に合《あ》ったサイズの ライフジャケットを正《ただ》しく着《き》てみよう!

サイズが合《あ》わないとぬげてしまったり、うまく浮《う》かない場《ば》合《あい》もあるよ。ライフジャケットは、体《からだ》の大《おお》きさに合《あ》ったものを選《えら》ぶことがとても大《たい》切《せつ》なんだ。体《からだ》ぴったりにベルトをしめて、また下《した》のベルトも、わすれずにしっかりつけよう。

ライフジャケットの大《たい》切《せつ》さを友《とも》だちにも教《おし》えよう!

交《こう》通《つう》事《じ》故《こ》にあった!?

シートベルトは
お母《かあ》さんのハグ

今日《きょう》は家族《かぞく》みんなでドライブ!　あれ?
セイくんはシートベルトをしてないね。
のるときにママがしめてくれたのに、
こっそりはずしちゃったみたい。

わっ!　猫《ねこ》が飛《と》び出《だ》してきた!

パパはあわてて急《きゅう》ブレーキをふみます。

キキ～ッ、 ガシャン!

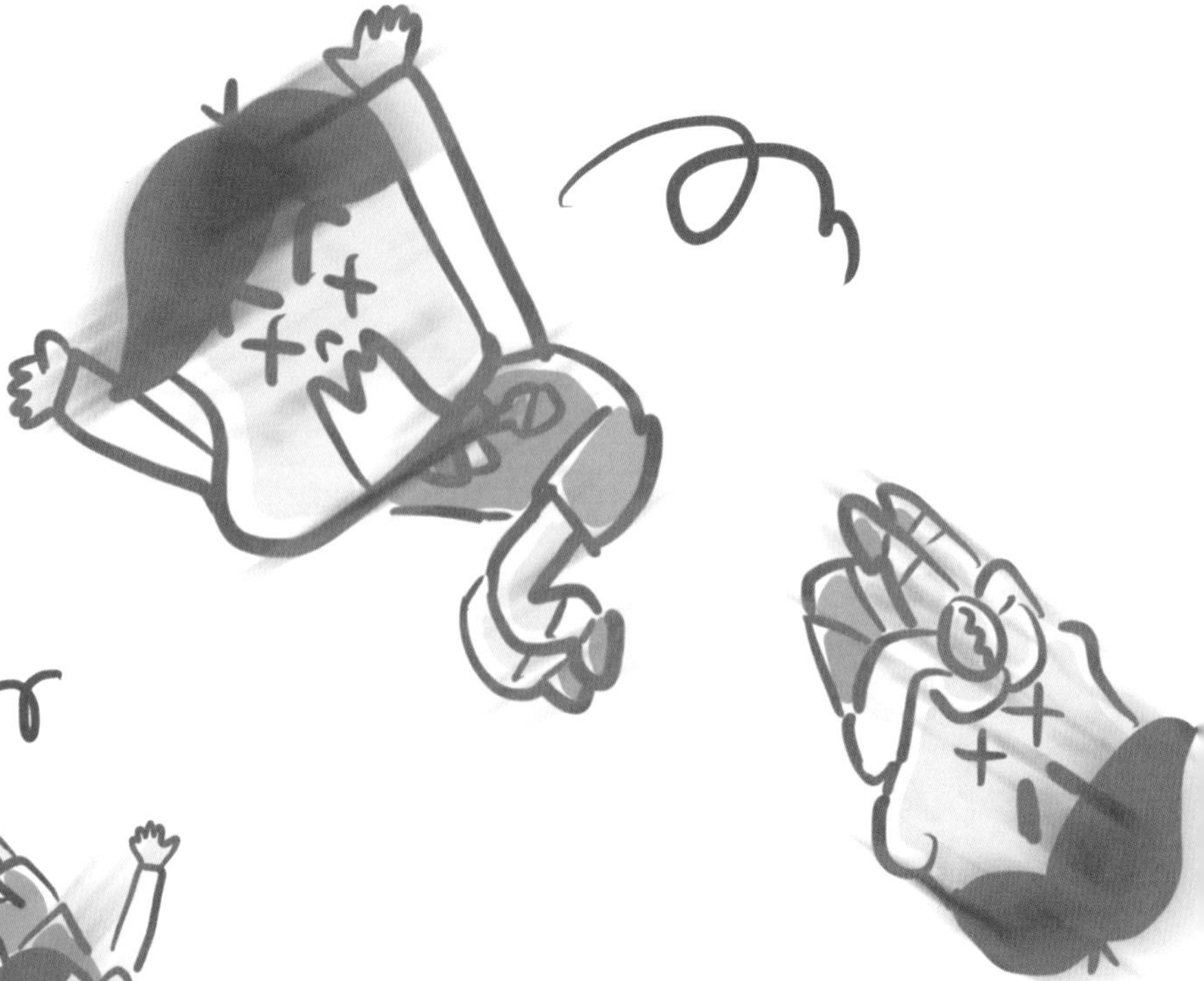

「わぁあああ〜」
シートベルトをしてなかった
セイくん。
前《まえ》のほうに飛《と》ばされちゃった！

上《うえ》も下《した》もわからない……暗《くら》い箱《はこ》の
中《なか》に閉《と》じこめられたみたい。
シートベルトをしてなかったせい？
泣《な》き出《だ》しそうなセイくん。
「あっ、パパとママ！　助《たす》けて!!
ここだよ～」

「はっ、ぼく夢《ゆめ》を見《み》てたんだ！
あぁ、こわかった～」
パパとママは笑《わら》ってます。

あわててシートベルトをする
セイくん。

もう、急《きゅう》ブレーキをふんで
も安心《あんしん》。
シートベルトをしめると、
ママに抱《だ》きしめられて守《まも》ら
れてるみたいだね！

学習《がくしゅう》しよう 9

交通《こうつう》事故《じこ》で体《からだ》を守《まも》るにはどうすればいいの?

体《からだ》が飛《と》ばされないように シートベルトが守《まも》ってくれるよ!

1 チャイルドシートとシートベルトを正《ただ》しくつけよう!

シートベルトをしないで車《くるま》にのっていて事故《じこ》にあったら、みんなの体《からだ》はボールのようにはねて、窓《まど》をつきやぶって外《そと》に飛《と》び出《で》てしまうかも……。そんなこわい思《おも》いをしないように、チャイルドシートとシートベルトが、みんなの体《からだ》を守《まも》ってくれるよ。

チャイルドシート

学童用《がくどうよう》(ジュニアシート)
体重《たいじゅう》15～36kgくらい

幼児用《ようじよう》
体重《たいじゅう》10～18kgくらい

身長《しんちょう》140cmくらいまでは使《つか》ってね!

ER《イーアール》アドバイス

ビルの3階《かい》から落《お》ちたのと同《おな》じだよ

時速《じそく》40kmで走《はし》る車《くるま》に、シートベルトをしないままのっていてぶつかると、3階《かい》（約《やく》6m）から落《お》ちたのと同《おな》じくらいの衝撃《しょうげき》が。ぶじではすまないくらいの強《つよ》い力《ちから》が、体《からだ》に一気《いっき》にかかるよ。

2 出発前《しゅっぱつまえ》にベルトのつけ方《かた》を点検《てんけん》しよう

チャイルドシートに座《すわ》ってシートベルトをしていても、まちがったつけ方《かた》では、事故《じこ》のときにケガをしてしまうかもしれないよ。出発前《しゅっぱつまえ》には点検《てんけん》①②③の指差《ゆびさ》し確認《かくにん》をわすれないで。

点検《てんけん》①

肩《かた》ベルトはOK《オーケー》？

ベルトが首《くび》や顔《かお》にあたらないよう調節《ちょうせつ》しよう。肩《かた》や上半身《じょうはんしん》がかんたんに動《うご》かないかも確認《かくにん》。

OK《オーケー》
首《くび》と顔《かお》はNG《エヌジー》

点検《てんけん》②

足《あし》のつけ根《ね》はOK《オーケー》？

腰《こし》ベルトは、腰《こし》の低《ひく》い位置《いち》（足《あし》のつけ根《ね》あたり）に。お腹《なか》にあたらないよう注意《ちゅうい》。

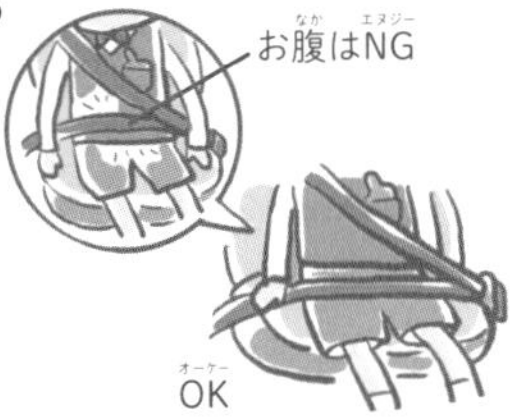
お腹《なか》はNG《エヌジー》
OK《オーケー》

点検《てんけん》③

体《からだ》は動《うご》かない？

肩《かた》ベルトと腰《こし》ベルトがねじれたりゆるんだりしていないか、体《からだ》が動《うご》かないかを最終確認《さいしゅうかくにん》。

上半身《じょうはんしん》が
動《うご》くのは
NG《エヌジー》

おぼえよう!

事故《じこ》で大《おお》ケガをすると

今《いま》までできていたことができなくなっちゃうかも!?

遊《あそ》ぶ、食《た》べる、学校《がっこう》にいく……、今《いま》までやれたことができなくなるのは悲《かな》しいよね。シートベルトをきちんとつければ、ママのハグのようにだきしめて、みんなを守《まも》ってくれるよ。

体《からだ》のダメージ

- 息《いき》が苦《くる》しい
- とても痛《いた》い
- 骨《ほね》が折《お》れる

頭《あたま》のダメージ

- 意しきがなくなる
- しゃべれなくなる
- 歩《ある》けなくなる

＼ 目指《めざ》せ満点《まんてん》! ／

体《からだ》と命《いのち》のなぜなにクイズ!

ここまで学《まな》んできたことや、先生《せんせい》たちからの大切《たいせつ》なメッセージ、おぼえているかな !? 「体《からだ》や命《いのち》の見《み》えない世界《せかい》」に興味《きょうみ》を持《も》ったみんななら、全問《ぜんもん》クリアまちがいないね!

★答《こた》えは 10 ページに

1 転《ころ》んで血《ち》が出《で》たら、どうする?

A. 消毒液《しょうどくえき》で傷口《きずぐち》を消毒《しょうどく》する
B. 水道水《すいどうすい》で傷口《きずぐち》を洗《あら》う

2 頭《ず》がい骨《こつ》の中《なか》で、骨《ほね》が強《つよ》くてじょうぶな部分《ぶぶん》はどこ?

A. おでこ
B. 頭《あたま》の後《うし》ろの部分《ぶぶん》（後頭部《こうとうぶ》）

3 のどにものがつまったとき、どこをたたく?

A. 首《くび》の後《うし》ろ
B. 左右《さゆう》の肩甲骨《けんこうこつ》の真《ま》ん中《なか》あたり

4 熱中症《ねっちゅうしょう》を予防《よぼう》する飲《の》みものの飲《の》み方《かた》はどっち?

A. のどがかわいたときに飲《の》む
B. のどがかわかなくてもこまめに飲《の》む

5 熱中症《ねっちゅうしょう》かもしれないと思《おも》ったら、どうする?

A. 冷却《れいきゃく》シートをおでこにはる
B. 水《みず》でぬらしたタオルを、首《くび》・わきの下《した》・太《ふと》もものつけ根《ね》にあてる

6 ウイルスやばい菌《きん》から体《からだ》を守《まも》る必殺《ひっさつ》わざはどっち?

A. 手洗《てあら》い
B. 鼻《はな》をかむ

7 やけどのあとに小《ちい》さな水《みず》ぶくれができたら、どうする?

A. 水《みず》ぶくれがやけどの傷《きず》を守《まも》っているので、むりにつぶさなくていい
B. やけどを早《はや》くなおすために、すぐにつぶしたほうがいい

8 動物《どうぶつ》にかまれたら、病院《びょういん》にいく? いかない?

A. すぐに血《ち》が止《と》まれば、病院《びょういん》にはいかなくていい
B. できるだけ早《はや》め（6〜 8 時間以内《じかんいない》）に病《びょう》院《いん》にいく

9 おぼれないために、どうすればいい?

A. ライフジャケットを身《み》につける
B. 大《おお》きい浮《う》き輪《わ》を選《えら》ぶ

10 シートベルトの正《ただ》しいつけかたはどっち?

A. ベルトが首《くび》とお腹《なか》にしっかりあたるようにつける
B. 肩《かた》ベルトが首《くび》に、腰《こし》ベルトがお腹《なか》に、それぞれあたらないようにつける

病院《びょういん》 病気《びょうき》 体《からだ》 薬《くすり》…みんなのギモンを解決《かいけつ》しよう!!

「病院《びょういん》」や「病気《びょうき》」って不安《ふあん》に感《かん》じるだろうけどだいじょうぶだよ！

元気《げんき》いっぱいに遊《あそ》んでいるふだんの生活《せいかつ》では、病院《びょういん》や病気《びょうき》のことを、あまり意《い》しきしないよね。でも、ある日《ひ》とつぜん病気《びょうき》やケガでこまったり、病院《びょういん》にいかなくちゃいけなくなると、知《し》らないことだらけなことに気《き》づくんだ。学校《がっこう》の教科書《きょうかしょ》には書《か》かれていないし、まわりの大人《おとな》たちもよくわからない、そんなみんなのギモンをいっしょに解決《かいけつ》しよう。そして、少《すこ》しくわしくなったら、初《はじ》めて知《し》ったことをいろんな人《ひと》に教《おし》えてあげよう。

先生《せんせい》たちが答《こた》えるよ！

ある日《ひ》のER《イーアール》
もしもし しようね～
ヤダー!!
メイちゃんは なにが好《す》きかな～？
ヤダー！ ヤダー！
プリンセスが 大好《だいす》きなんだよね～
ジャジャーン！
じー…
わぁ！
そのすきに…
わーい!!
ササッ
ササッと診察《しんさつ》

Q. どうして病《びょう》院《いん》にいくの？

病気《びょうき》やケガを よくするためには ひつようなことだよ！

病院《びょういん》は、注射《ちゅうしゃ》などの痛《いた》いことをされる「こわくてイヤな場所《ばしょ》」というイメージかな？　でも、みんなの症状《しょうじょう》や病気《びょうき》をなおすためには、大切《たいせつ》な場所《ばしょ》なんだ。ぼくたち救急《きゅうきゅう》医《い》も「来《き》てくれたみんなを少《すこ》しでもよくしたい」という気持《きも》ちで診《しん》療《りょう》しているよ。痛《いた》いことも、本当《ほんとう》にひつようなときしかやらない。病院《びょういん》には「先生《せんせい》とお話《はな》ししにいってみようかな」くらいの気持《きも》ちで来《き》てくれていいんだよ！

だいじょうぶ！
みんながこわくないように
いろいろと工夫《くふう》しているよ！

ぼくも
苦手《にがて》～
ハァ…

Q. 上手《じょうず》に薬《くすり》を飲《の》む方法《ほうほう》は?

薬《くすり》のタイプによって飲《の》み方《かた》のコツがあるよ!

シロップ

シロップの薬《くすり》は、飲《の》みやすいようあまい味《あじ》つきのものがほとんど。その味《あじ》が苦手《にがて》な子《こ》は、少《すこ》しのお水《みず》でうすめて飲《の》んでみよう。

粉薬《こなぐすり》

少《すこ》しの水《みず》かぬるま湯《ゆ》に溶《と》かして飲《の》む。すぐに飲《の》まないと苦《にが》い味《あじ》が出《で》てくる薬《くすり》もあるので、飲《の》む直前《ちょくぜん》に溶《と》かすのがコツだよ。

錠剤《じょうざい》・カプセル

口《くち》の中《なか》やのどにくっつきやすいので、最初《さいしょ》に水《みず》で口《くち》の中《なか》をしめらせてから、薬《くすり》を舌《した》のおくに置《お》いて、すぐに水《みず》を飲《の》もう。

Q. なんで予防接種《よぼうせっしゅ》をするの?

病気《びょうき》とたたかう力《ちから》をパワーアップさせるよ!

予防接種《よぼうせっしゅ》には、体《からだ》が病気《びょうき》とたたかうためにひつような力《ちから》(免疫《めんえき》)を強《つよ》くする役割《やくわり》があるんだ。打《う》つことで病気《びょうき》になりにくい強《つよ》い体《からだ》が手《て》に入《はい》ることもある。こわがらなくてだいじょうぶ。注射《ちゅうしゃ》は、体《からだ》を守《まも》ったり手助《てだす》けをしてくれる重要《じゅうよう》アイテム、みんなのお助《たす》けマンだよ!

具合《ぐあい》が悪《わる》いときはがまんしないで伝《つた》えてね!

具合《ぐあい》がイマイチなときは、「体《からだ》のどのあたり」が「どんな感《かん》じがする」のかを教《おし》えてね。「このあたり」って指《ゆび》でさしたり、さすったり、シクシク、グルグル、チクチク、ヒリヒリ……、みんなが感《かん》じるいろんな表現《ひょうげん》、いい方《かた》でだいじょうぶ。いつもとちがう体《からだ》のサインを見《み》つけたら、ママやパパ、病院《びょういん》の先生《せんせい》に伝《つた》えてね。

Q. もしも家族《かぞく》がたおれて自分《じぶん》しかいなかったら?

勇気《ゆうき》を持《も》って「119」番《ばん》に電話《でんわ》しよう!!

近《ちか》くに大人《おとな》がいたら、すぐよびにいこう。家族《かぞく》以外《いがい》の人《ひと》に助《たす》けをお願《ねが》いしてもいいよ。まわりにだれもいないときは、家《いえ》の電《でん》話《わ》や携帯電話《けいたいでんわ》、公衆電話《こうしゅうでんわ》などから、まよわず「119」番《ばん》にかけよう。つながったら、聞《き》かれたことに、わかることだけ答《こた》えればOK《オーケー》。心配《しんぱい》しなくてだいじょうぶだよ。救急《きゅうきゅう》車《しゃ》がとう着《ちゃく》するまでは、たおれた人《ひと》やケガをした人《ひと》のそばにいてあげてね。

救急《きゅうきゅう》の現場《げんば》ではドクターヘリも活躍《かつやく》しているよ!

救急車《きゅうきゅうしゃ》で現場《げんば》にとう着《ちゃく》した救急救命士《きゅうきゅうきゅうめいし》が、患者《かんじゃ》さんをみて、病院《びょういん》に運《はこ》ぶまでに時間《じかん》がかかりそう、急《いそ》いで運《はこ》んだほうがよい、とくべつな病院《びょういん》でしかなおせない……などとはんだんした場合《ばあい》に、ドクターヘリをよぶんだ。ヘリには、フライトドクター、フライトナース、パイロット、整備士《せいびし》がのっているよ。ほかにも、ヘリに指示《しじ》を出《だ》すシーエス（CS）というお仕事《しごと》の人《ひと》も、ドクターヘリの活躍《かつやく》を後《うし》ろからささえているんだ。

119番《ばん》にかけて こんなやり取《と》りを するよ！

救急《きゅうきゅう》の指令員《しれいいん》の人《ひと》が質問《しつもん》
してくれるから心配《しんぱい》しなくて
だいじょうぶ。おうちの人《ひと》と、
練習《れんしゅう》してみよう！

火事《かじ》ですか？　救急《きゅうきゅう》ですか？

救急《きゅうきゅう》です

最初《さいしょ》に、救急車《きゅうきゅうしゃ》に来《き》てほしいことを、はっきりと伝《つた》えよう。

住所《じゅうしょ》はどこですか？

○○市《し》○丁目《ちょうめ》○番地《ばんち》です

救急車《きゅうきゅうしゃ》に来《き》てほしい場所《ばしょ》を伝《つた》えよう。外《そと》にいるときは、電《でん》ちゅうや家《いえ》のへいなどについている住所《じゅうしょ》が書《か》かれたプレート（街区表示板《がいくひょうじばん》）や、近《ちか》くの建物《たてもの》、交差点《こうさてん》などの目印《めじるし》を伝《つた》えよう。

どうしましたか？

おばあちゃんが、
たおれました。苦《くる》しそうです

「だれ」が「いつから」「どのようにして、どうなったか」を、できるだけくわしく話《はな》すよ。「意《い》しきはあるか」「息《いき》はしているか」も伝《つた》えよう。もし「いつから具合《ぐあい》が悪《わる》くなったか」がわかれば、それも話《はな》そう。うまく伝《つた》えられなくても、司令員《しれいいん》の人《ひと》がいろいろと質問《しつもん》してくれるから、だいじょうぶだよ。

おいくつの方《かた》ですか？

○○才《さい》です

何才《なんさい》かも伝《つた》えられるように、家族《かぞく》の年齢《ねんれい》もおぼえておこう。知《し》らない人《ひと》の場合《ばあい》は、大人《おとな》か子《こ》どもか、お年《とし》よりか、たとえば「お父《とう》さんと同《おな》じくらい」など、わかることを伝《つた》えよう。

あなたの名前《なまえ》と連絡先《れんらくさき》を
教《おし》えてください

ぼくの名前《なまえ》は○○○○
です。電話番号《でんわばんこう》は……

自分《じぶん》の名前《なまえ》と、119 番《ばん》の電話《でんわ》を切《き》ったあとに、指令員《しれいいん》の人《ひと》がまた連絡《れんらく》することができる電話番号《でんわばんごう》を伝《つた》えるよ。自分《じぶん》の家《いえ》や携帯電話《けいたいでんわ》の番号《ばんごう》を、おぼえておくといいね。

Q. 自分《じぶん》が持《も》っている薬《くすり》を人《ひと》にあげたらダメ？

飲《の》める薬《くすり》や、飲《の》む量《りょう》は人《ひと》によってちがうよ

自分《じぶん》が飲《の》んでだいじょうぶな薬《くすり》でも、友《とも》だちやほかの人《ひと》が飲《の》むと、中《なか》には命《いのち》があぶなくなってしまうものもあるかもしれない。また、病院《びょういん》でもらう薬《くすり》は、その人《ひと》の体重《たいじゅう》に合《あ》わせて決《き》められた量《りょう》になっていたりするよ。友《とも》だち同士《どうし》での薬《くすり》のやり取《と》りは、ぜったいにしないでね！

Q. 友《とも》だちがケガをしたり具合《ぐあい》が悪《わる》くなったら？

友《とも》だちに起《お》きたことをまわりの大人《おとな》に伝《つた》えよう

ケガをしたり、具合《ぐあい》が悪《わる》くなった友《とも》だちが、もし動《うご》けないようなら、すぐに大人《おとな》をよびにいこう。そして、何時《なんじ》くらいに、どんなふうにどこをケガしたか、どんなようすで具合《ぐあい》が悪《わる》くなったか……などを、大人《おとな》に伝《つた》えよう。友《とも》だちのために、できるだけくわしく、かくさずに伝《つた》えることが、とても大切《たいせつ》だよ。

Q. つかれちゃったら……どうすればいいの？

ぐっすり眠《ねむ》ることが健康《けんこう》のもと！

つかれたな〜と思《おも》った日《ひ》は、ふだんより少《すこ》し早《はや》くふとんに入《はい》ってみよう。つかれるくらいよくがんばった自分《じぶん》をほめながら目《め》をとじれば、明日《あした》はまた元気《げんき》になっているはず。ほかにも、体《からだ》を動《うご》かすことで、つかれをやわらげる方法《ほうほう》もあるんだ。深呼吸《しんこきゅう》をしながら、さん歩《ぽ》してみよう。つかれが軽《かる》くなるかもしれないよ！

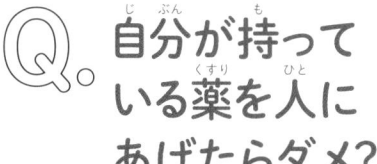

「学習《がくしゅう》しよう」ページに登場《とうじょう》した道具《どうぐ》をチェック！

ワセリン（軟膏《なんこう》）

肌《はだ》や傷《きず》がかわかないよう、守《まも》ってくれるよ。病院《びょういん》で出《だ》してもらうもの、薬局《やっきょく》で買《か》ったもの、どちらでもOK《オーケー》。

ばんそうこう

通常《つうじょう》のサイズや形《かたち》のほか、大《おお》きいサイズ、四角《しかく》や細長《ほそなが》いものなどいろいろ。傷《きず》の大《おお》きさに合《あ》うものを使《つか》おう。

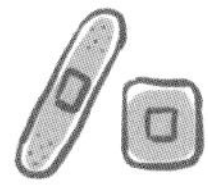

保護《ほご》テープ

ガーゼやほうたいをとめるのに使《つか》うよ。肌《はだ》にやさしいタイプや、はさみを使《つか》わずに手《て》で切《き》れるものもあるよ。

ガーゼ

「処置用《しょちよう》」「医療用《いりょうよう》」などとして売《う》られている、清潔《せいけつ》なものを用意《ようい》しておこう。薬局《やっきょく》で買《か》うことができるよ。

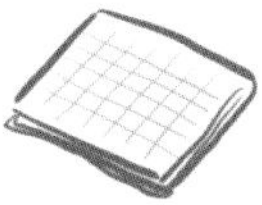

保冷剤《ほれいざい》

すぐ使《つか》えるように冷凍庫《れいとうこ》でつめたくしておくもののほか、取《と》りかえ用《よう》、保存用《ほぞんよう》などを救急箱《きゅうきゅうばこ》に入《い》れておこう。

いつでも使《つか》えるように救急箱《きゅうきゅうばこ》に入《い》れておこう

ワセリンは便利《べんり》！

すり傷《きず》や切《き》り傷《きず》、やけど、ひどい日焼《ひや》けなどの傷《きず》を、きれいになおすのに活躍《かつやく》するワセリン。じつは、指《ゆび》についた接《せっ》着剤《ちゃくざい》をはがすときにも使《つか》えるという、すぐれものだよ！

「血《ち》が出《で》た」「熱中症《ねっちゅうしょう》」「やけど」などの「学習《がくしゅう》しよう」ページに出《で》てきた道具《どうぐ》を、おぼえているかな？　トラブルにあったとき、いつでも自分《じぶん》で使《つか》えるよう、救急箱《きゅうきゅうばこ》の中《なか》に用意《ようい》しておこう。おうちの人《ひと》と使《つか》い方《かた》なども練習《れんしゅう》して、いざというとき、便利《べんり》な道具《どうぐ》をしっかり役立《やくだ》ててね！

大人が覚えておきたいこと

急なケガや事故、病気などのときも慌てずに、家族や周囲の人と適切な処置が出来るように。大人が覚えておきたい救急処置のポイントをご紹介します。

子どもの命を守る

打撲・ねんざの応急手当はRICE《ライス》と覚えて

子どもは転んだり、人や物にぶつかるなど打撲によるケガが多いもの。ねんざはじん帯を損傷した状態をいいますが、子どもは骨が軟らかいため、関節をひねって裂離（剥離）骨折を起こすこともあります。頭部や顔面、お腹を打ったり、はれや痛みが強い場合は迷わず病院へ。軽度の打撲・ねんざの応急手当は、RICE《ライス》（左記参照）と覚えて実践を。痛みやはれを最小限にすることができます。

R　Rest　**安静**

出来る限り、動かさないこと。足首や手首であれば、荷重を出来るだけかけないように。

I　Ice　**冷却**

保冷剤などで患部を冷やす。1 ～ 2 時間ごとに 15 分ずつ、ケガをしてから 6 時間くらいまでは冷やす。

C　Compression　**圧迫**

弾力のある包帯やテープで、患部を適度に圧迫するように巻く。

E　Elevation　**挙上**

患部を心臓よりも高いところへ持ち上げる。

回復体位とは

横向きに寝かせ、下側の腕は前に伸ばすか軽く曲げる。上側の手は甲を上に頬の下に差し、頭をそらせて気道を確保。上側の脚はひざを直角に。

けいれんしたら回復体位で寝かせて窒息を防いで

けいれんは脳の働きがうまくいかず、体がガクガク震えたり、ピーンと突っ張ったりする発作。子どもがけいれんしたときは、まず安全な場所に寝かせ、吐くこともあるので、窒息を防げる横向きの回復体位で寝かせると安心です。すぐに治まっても自己判断せず、けいれんを起こしたら原則、病院で診察を受けましょう。

こんな誤飲をしたら無理に吐かせず病院へ

誤飲は1～3歳の子どもによく起こりますが、口の中に指を入れるなど、無理に吐かせようとするのはよくありません。かえって食道などの粘膜を傷つけたり、窒息や肺炎の原因になることも。特に左のようなものを誤飲した場合は、早急に病院で受診を。ほかにも毒性があるもの、針などの鋭利な異物、大人の薬なども危険です。飲み込んだものと同じものがあれば、持参して受診を。判断に迷ったら、専門家に指示をあおぐのも方法です（108 ページ参照）。

特に要注意はこれ！

● 加熱式たばこ

紙巻きたばこよりも安全なイメージを持たれやすく、使用前後のスティックを乳幼児が誤飲する事故が増加傾向。誤飲した場合、水や牛乳を飲ませずにただちに受診を。

● ボタン型・コイン型電池

電池からの放電や漏れた内容物により、消化管の損傷が起きます。早いと2時間以内に食道損傷が起きることも。1歳以上ならはちみつをスプーン1杯なめさせ、ただちに受診を。

● 家庭用洗剤、磁石

洗剤はキューブ状などカラフルで香りがよく、子どもがお菓子と思って口にしやすい。磁石は複数が体内にとどまると胃や腸に穴が空くことが。

気をつけてあげたい予防のポイント

● 服装

吸湿性、通気性のよい素材で薄い色の服は、熱や湿気がこもりにくく◎。ゆったりとした服装のほうが高体温を起こしにくい。

● 地熱・車の中

ベビーカー上や背の低い子どもは、地面の熱を受けやすい。また、車内など暑い環境での子どもの置き去りは短時間でも絶対にしない！

● 屋内

日差しがなくても、蒸し暑い屋内は屋外と同じく要注意。特に体育館は閉め切って風がないことも多く、熱中症のリスクが高い場所。

● 水分摂取

暑い環境で活動するときは、開始前にしっかり水分摂取をして。活動中は小学生なら 20 分ごとに 100 ～ 250mℓ、中学生なら1時間ごとに1 ～ 1.5ℓの水分補給が目安に。

子どもの熱中症の特徴

子どもは体温が上がりやすく、脱水症状が出やすいことが特徴。ただし、保護者がそばにいることの多い乳幼児は少なく、重症化しやすいのは思春期以降。遊びに夢中になり、特にスポーツ時は屋外に限らず、屋内でも要注意。こまめな水分補給を徹底させ、風邪や胃腸炎などにかかっていると熱中症になりやすいので体調管理も万全に。適度な外遊びをして、暑さに慣れさせることも大切です。

水の中にもばい菌が！

噴水や子どもが遊べる水路など、公園には水の遊び場も多いもの。きれいな水に見えても衛生管理されていないと、レジオネラ属菌など雑菌が繁殖しているケースも。水に触れた後も、念入りに手洗いをしましょう。

手洗いで意識したいばい菌が潜む場所

手洗いの習慣をつけたつもりでも、大人が目を離したとたん、子どもは適当に済ませがち。公園で遊んだ後は要注意。遊具に限らず、意外なばい菌スポットが砂場。犬や猫など動物が立ち寄り、虫も多いため、有害な細菌が潜んでいるかもしれません。

また、家庭では玄関やトイレよりも、雑菌が多いのはキッチンといわれます。特に台ふきんは、雑菌が好む条件がそろう要注意アイテムです。

子どもの火傷の特徴と予防のポイント

幼少であるほど皮膚が薄いため、子どもが火傷をすると、大人に比べて深くまで傷つきがちに。ホットカーペットなどの低温火傷でも、軽傷に見えて深部まで火傷が進んでいることもあります。手の届く範囲に火傷を招く熱いものを置かないなど、子どもの成長に合わせて大人が配慮することが、子どもの火傷を防ぐ最も有効な対策になります。

手の届く範囲を把握して

たとえば3歳児の場合、台の高さが 70cm なら 120－70＝50cm は台の手前から手の届く範囲ということに。その範囲に熱い物を置かない配慮を。

台の高さ＋手の届く範囲＝
1歳約 90cm・2歳約 110cm・3歳約 120cm

こんな場合はすみやかに受診！

- **顔面の火傷**
- **火傷の範囲が全身の 10%以上**
  （腕１本、脚１本で全身の 10%相当）
- **深い火傷**（皮膚の色が白く変わる）

テーブルクロスに注意

手は届かなくても、テーブルクロスを引っ張って熱い物を倒すこともある。鍋などの取っ手も、コンロからはみ出すとつかみがち。

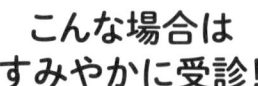

冷却シートでは熱は下がらない!?

発熱したとき、今や冷却シートはつきもの。確かにひんやりして気持ちいいけれど、熱を下げる解熱作用があるわけではありません。清涼感でつらさをやわらげるアイテムとわかったうえで使用を。

発熱したときのホームケア

発熱は 38 度を超える場合にいわれることが多いのですが、子どもの場合は風邪の可能性が高く、しかも熱の高さと重症度は関係なし。生後3か月未満の赤ちゃんは発熱したらすぐ病院へ。生後3か月以上で発熱していても元気があれば、受診を急ぐ必要はありません。食欲がないなどつらそうな場合は解熱剤を使い、自然に熱が下がるのを待ちましょう。4日以上発熱が続くなら、病院で受診を。

子どもが溺れたときは

溺れるというと「助けて!」と声を上げてもがくイメージですが、子どもは「静かに溺れる」ケースが多く、5㎝、10㎝の浅瀬でも鼻と口が水面に浸れば溺れることがあります。溺れている人を見つけたら、泳ぎに自信があってもひとりで助けにいこうとせず周囲と協力を。救助後は呼吸の有無により、救命処置をします。

1 ひとりで泳いでいかず周囲に助けを求める

たとえ泳げても、慌ててひとりで助けようとしないこと。溺れている人から目を離さず、大声で周囲に助けを求め、協力者を募って。まず、自分の安全を第一に考えること。

救出したら

2 意識があるか確かめる

呼びかけに答えるなど意識があれば、乾いたタオルで体を拭き、毛布などで包んで温める。震えや嘔吐などの不調があれば病院へ。意識がなければ救急車を呼んで、AED（111 ページ参照）を持ってきてもらう。

3 正常な呼吸をしているか確かめる

続いて、胸や腹をよく見ながら、呼吸を確認する。呼吸がない、あえぐような異常な呼吸をしている場合、心臓マッサージ（110 ページ参照）を開始。AED が届いたら音声ガイドに従って救命処置をする。

救急車を呼ぶか迷ったら

子どもはもちろん、家族や親しい人に急な病気やケガなどが起こると、救急車を呼ぶべきか、様子を見て病院へ連れていけばいいか、判断に迷うことがあります。

救急車を呼ぶ前に、症状などで緊急度を知ることができる全国版の救急受診判定アプリやエリアは限られますが判断の助けになる電話窓口などを上手に活用しましょう。

救急車を呼ぶべきタイミング（原則）

命にかかわる病状、強い痛み、自身で安全に受診させられないときも救急要請を考慮。

- **会話ができない**
- **呼吸の様子がおかしい**
- **顔色が悪い**
- **強い痛みがある**
- **安全に病院まで移動できない**

覚えておきたい❶

救急受診判定アプリを使う

「Q助」で症状を選択していくと「いますぐ救急車を呼びましょう」「できるだけ早めに医療機関を受診しましょう」など緊急度をわかりやすく判定。電話相談よりも気軽で、気になる症状があればすぐに試せます。

全国版救急受診ガイド「Q助」

https://www.fdma.go.jp/mission/enrichment/appropriate/appropriate003.html

総務省消防庁が展開。緊急度判定を支援するアプリ。症状を選ぶと緊急度のほか受診すべき診療科、居住地域の医療機関も検索できる。

覚えておきたい❷

電話相談窓口にかける

医師または看護師などの専門家からアドバイスを受けられる救急安心センター事業＃7119。「小児」「誤飲・中毒」など専門知識が必要な科目もご紹介します。

＃7119（救急電話相談）

利用できるのは、宮城県、福島県、茨城県、埼玉県、千葉県、東京都、新潟県、山梨県、長野県、岐阜県、京都府、大阪府、奈良県、鳥取県、山口県、徳島県、高知県、愛媛県、福岡県の19都府県と横浜市および札幌市、神戸市、田辺市、広島市とその周辺の一部市町村。※対象エリアは順次拡大中

＃8000（子ども医療電話相談事業）

休日・夜間の子どもの症状に対して判断に迷うとき、小児科医師・看護師に電話で相談することが可能。居住都道府県の相談窓口に転送され、対処法や受診する病院などの助言をもらえる。

誤飲・中毒の相談

（公財）日本中毒情報センター 中毒110番
072-727-2499（大阪）24時間対応
029-852-9999（つくば）24時間対応

化学物質（たばこ・家庭用品など）、医薬品、動植物の毒などによる急性の中毒について、応急手当や受診の必要性をアドバイス。

倒れている人がいたら（一次救命処置）

呼吸をしていない、心臓が止まったなど、不安定になった人に心肺機能の補助をします。「一次救命処置」といい、医療の知識がない一般人でも出来ることが特徴です。そのため、AEDを使用する際も音声ガイドに従うだけ。流れを知っていれば、大切な人や身のまわりの人の命を守る助けになれます。

1 周囲の安全を確認する

自動車やバイク、自転車、人の往来がある路上など、まず救命処置を安全に行える場所か確認。危険がないよう、周囲の人と協力する。

2 反応を確認する

両肩を軽く叩きながら「わかりますか?」などと大きな声で呼びかけ、意識があるか確認。目を開けたり、声やしぐさで答えがあるかを確認する。

3 協力者を求める

- 救急車を呼ぶ
- AEDの準備

「人が倒れています」「来て」「手伝って」など、大声を出して協力者を募る。「119番に通報を」「AEDを探して持ってきて」とはっきり誰に、何を頼んだかわかるよう指示をする。

4 呼吸を確認する

胸や腹が上下に動いていれば、呼吸があると判断。口は動いていても、胸や腹が動いていない場合は正常な呼吸があるといえない。

正常な呼吸がある場合

呼びかけに反応がなくても、正常な呼吸が確認できれば、救急車の到着を待つ。

正常な呼吸がない場合

ただちに胸骨圧迫（110ページ参照）を開始する。119番通報の指令員に指示をあおぐ。

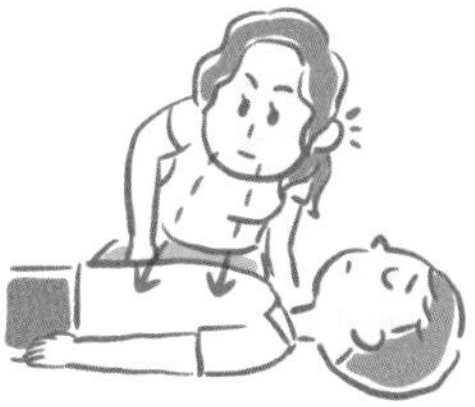

ここもCHECK →
総務省消防庁　一般市民向け 応急手当WEB講習
https://www.fdma.go.jp/relocation/kyukyukikaku/oukyu/

心臓マッサージ（胸骨圧迫）のやり方

胸の骨を深く押して心臓のまわりに圧をかけ、動かなくなった心臓の代わりにポンプのように血液を送り出し続けます。意外とハードなので周囲の人と交替しながら救急車の到着まで続けます。

手の組み方

片方の腕を前に伸ばし、手の甲側に反対の手を重ね、指を曲げて組む。手のつけ根で押す。

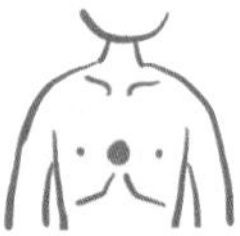

押す位置

左右の胸の間にある「胸骨」の下側半分を 5cmほど沈むように押す。

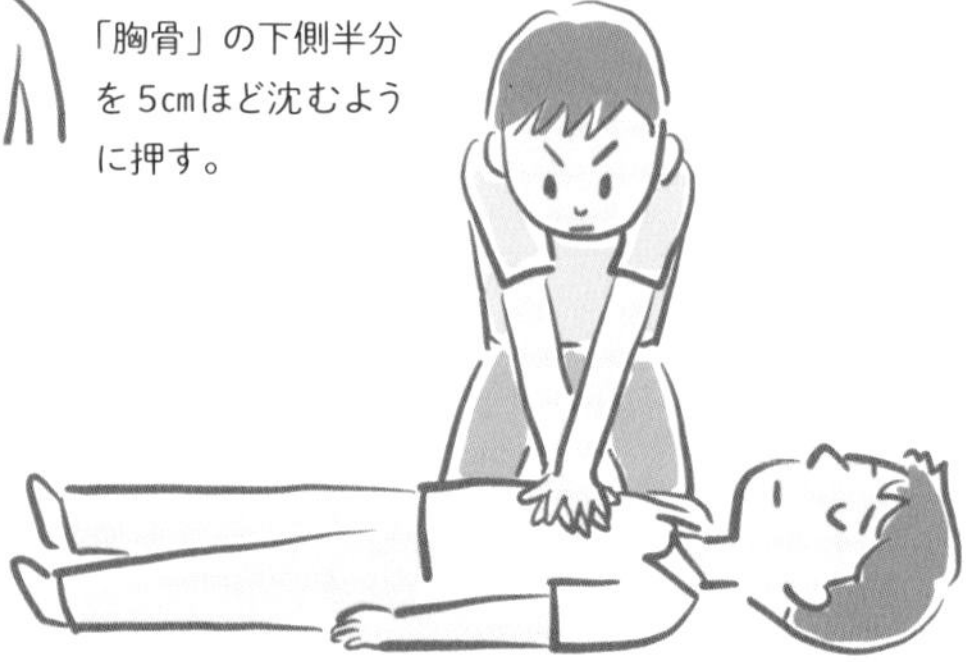

押し方のポイント

ひざをついて脚を肩幅に広げ、両腕の肘をまっすぐに伸ばし、真上から垂直に体重をかけて押す。

❶ 強く

胸部が 5cm沈むほど、垂直に体重をのせて強く押す。沈みっぱなしでは効果が薄いので、元の高さまでリズミカルに戻って、再び押してくり返す。

❷ 速く

1 分間に 100 ～ 120 回のリズムでくり返す。童謡のうさぎとかめ「もしもしかめよ、かめさんよ」と同じくらいのリズムで圧迫すると覚えておくとよい。

❸ 絶え間なく

10 秒間中断するだけでも蘇生率はダウンしてしまう。交替での中断も最小限に。また、位置がずれないように押すことも肝心と心に留めて。

乳児の場合（1 才未満）

乳頭と乳頭を結んだ線の中間あたりを、片方の手の中指と薬指で押す。もう片方の手で額を軽く押さえ、胸の厚みの 1/3 くらいの深さに沈むように押してくり返す。

小児の場合（1 ～ 8 才未満）

押す位置は上の一般の場合と同じだが、片手で押して力がかかりすぎないようにする。頭を軽くそらせ、胸の厚みの 1/3 くらいの深さに沈むように押してくり返す。

AEDの使い方

AEDは「自動体外式除細動器」といい、心停止の原因になっている不整脈を電気ショックで止めるための器具。いくつか種類はありますが、いずれも音声ガイドに従ってボタンを押すだけで使え、電極パッドを当てる位置も図で示され簡単です。

1 傷病者の近くに置く

AEDが到着したら、コードが届くように倒れている人の近くに置く。

2 電源を入れ、音声ガイドに従って進める

AEDにはさまざまなタイプがあるが、いずれも電源を入れると音声ガイドが流れるので、音声に沿って進める。

3 パッドを装着する

傷病者の胸部をはだけ、湿布などは外して汗や水分を拭く。パッドに描かれたイラストの体の部分に直接パッドを装着する。下着を着けていれば外すか、下着の下の肌に直接貼る。

4 心電図解析

AEDが不整脈の有無を解析。「体に触れないでください」という音声が流れたら、周囲の人とともに傷病者に触れないように手を離す。

5 音声ガイドに従い、胸骨圧迫を再開する

「ショックが必要です」という音声が流れたら、ショックボタンを押して電気ショックを与える。その後はすみやかに、胸骨圧迫（110ページ参照）を再開する。

こちらも便利

救命コーチングアプリ Liv for All

AEDを用いた救命処置をたった15分、無料で実践的に学べる体験型トレーニングアプリ。手軽なWebアプリなので、「Liv for all」で検索をしてみて。

Liv for all

湘南ER《しょうなんイーアール》
24時間365日、患者を受け入れている湘南鎌倉総合病院の救急総合診療科（ER）。救急搬送の受入数、日本一のER。モットーは“Anyone, Anything, Anytime”いつでも誰にでも最善を尽くす医療を。
・HP　https://www.skgh-er.jp/
・Instagram　@shonan_er
（※2024年2月28日現在）

大切《たいせつ》な人《ひと》に話《はな》したくなる
体《からだ》と命《いのち》のなぜなに
ぶつけたら痛《いた》いのはどうして？　ケガをしたらどうする？

2024年 4 月 1 日　初版発行
2024年 7 月20日　再版発行

著者／湘南ER《しょうなんイーアール》

発行者／山下 直久

発行／株式会社KADOKAWA
〒102-8177　東京都千代田区富士見2-13-3
電話　0570-002-301（ナビダイヤル）

印刷所／TOPPANクロレ株式会社

製本所／TOPPANクロレ株式会社

●お問い合わせ
https://www.kadokawa.co.jp/（「お問い合わせ」へお進みください）
※内容によっては、お答えできない場合があります。
※サポートは日本国内のみとさせていただきます。
※Japanese text only

定価はカバーに表示してあります。

ISBN 978-4-04-606774-6　C0047